Mit Erfolg zu Fit in Deutsch 1

Lehrerhandbuch

Ernst Klett Sprachen
Stuttgart

Autorinnen: Sylvia Janke-Papanikolaou, Karin Vavatzandis

Beratung: Anni Fischer-Mitziviris

Projektleitung: Evdokia Kallia

Redaktion: Annette Starosta

Layout/Satz: Theodoros Niarchos
Nikolaos Giannoutsos

Umschlag: Theodoros Niarchos

Umschlagfotos: iStockphoto, Calgary, Alberta;
brandXpictures, 8755 Washington Blvd. Culver Citz CA 90232

Druck und Bindung: CEWE Stiftung & Co. KGaA, Germering
Printed in Germany

1. Auflage 1 16 15 14 | 2022 2021 2020

Alle Drucke dieser Auflage können im Unterricht nebeneinander benutzt werden, sie sind untereinander unverändert.
Die letzte Zahl bezeichnet das Jahr des Druckes.

Internet: www.klett-sprachen.de

ISBN: 978-3-12-676331-8

INHALT

Hinweise zur Arbeit mit dem Übungs- und Testbuch

Liebe LehrerInnen,

mit „Mit Erfolg zu Fit in Deutsch 1" legen wir ein Buch vor, das den Unterrichtenden die Möglichkeit gibt, Kinder und Jugendliche gezielt und effektiv auf die erste Deutschprüfung vorzubereiten. Besonders wichtig war uns dabei, durch eine klare und übersichtliche Darstellung und ein ansprechendes Layout die Motivation zu fördern und die Angst vor der Prüfung zu nehmen.

Jede der 7 Einheiten besteht aus Übungs- und Testteilen, die eng miteinander verflochten sind. Nicht das Testen steht im Mittelpunkt, sondern das konsequente und systematische Üben aller vier Fertigkeiten auf der Niveaustufe A1, wie sie im Allgemeinen Europäischen Referenzrahmen beschrieben ist. Dabei sind alle geforderten Themen abgedeckt. Diesen Themen ist der Wortschatz zugeordnet, der für die Fit1-Prüfung vorausgesetzt wird.

Mindmapping: Um den Schülern die Möglichkeit zu geben, den Wortschatz themenbezogen und möglichst umfassend zu üben, beginnt jede Übungs- und Testeinheit mit einem Wörternetz. Hier ist der wichtigste Wortschatz, den der Schüler aktiv beherrschen sollte, thematisch zusammenhängend aufgeführt. Außer der im Buch abgedruckten Version, bei der lediglich die im Kasten angegebenen Ausdrücke zu ergänzen sind, hat der Lehrer auch die Möglichkeit, die im LHB abgedruckte Version zu kopieren und je nach Leistungsstand der Schüler entweder ganz oder teilweise von den Schülern selbst ausfüllen zu lassen. Möglicherweise können die Schüler außerdem selbst noch weitere „Themenzweige" oder auch einzelne Ausdrücke und Wörter ergänzen. Die Arbeit mit den Wörternetzen kann am Anfang einer Einheit erfolgen, während oder auch nach Abschluss einer Lektion, je nachdem, welche Lernziele der Lehrer dabei verfolgen möchte.

Hören: Bei den Nachrichten über das Telefon geht es oft um Verabredungen und folglich sind meist zeitliche Zusammenhänge zu verstehen. Wichtig sind Zahlen und Uhrzeiten. Bei den Dialogen handelt es sich meist um ein Gespräch zwischen Schulkameraden zum Thema der Lektion. Vor dem Hören sollten sich die Schüler angewöhnen, die Aufgaben anzuschauen, damit sie wissen, worauf sie achten sollen. Das kann durchaus in den ersten Einheiten besprochen werden. Beim ersten Hören sollten sich die Schüler auf Sprecher und Adressat konzentrieren. Beim zweiten Hören kann man dann auf Einzelheiten achten.

Lesen: Die Schüler sollten möglichst viele W-Fragen stellen, um auf diese Weise die Hauptinformationen herauszufinden. Es empfiehlt sich, die entsprechen Textstellen unterstreichen zu lassen. Bei den Anzeigen sollte man die Schüler zusätzlich darauf aufmerksam machen, auf die Fotos, das Fettgedruckte, die Zeitangaben (z. B. am, von...bis, u.a.) und die Modalverben (Wer will etwas? Wer kann was...?) zu achten.

Der **Schriftliche Ausdruck:** Es wird immer in drei Schritten geübt. Zuerst lesen und analysieren die Schüler inhaltlich die E-Mail, die sie bekommen. Dann reagieren sie darauf in Form einer (mehr oder weniger) stark gelenkten Antwort, und in der dritten Übung schreiben sie die ganze E-Mail noch einmal selbst.

Hinweise zur Arbeit mit dem Übungs- und Testbuch

Der **Mündliche Ausdruck: Teil 1** kann besonders gut als Frage-Antwort-Spiel geübt werden. Erst wenn die Schüler sich einigermaßen flüssig äußern können, sollten sie den ganzen Text monologisch sprechen.
Bei **Teil 2** empfiehlt es sich, die Wortkarten zuerst als Assoziationsübung einzusetzen und möglichst viele Fragen formulieren zu lassen. Dabei sollte man die Schüler immer wieder darauf hinweisen, auf das Thema zu achten und nur solche Fragen zu bilden, die mit dem angegebenen Thema zu tun haben. Dann werden die entsprechenden Übungen im Buch bearbeitet. Die Übungen b) und c) sind so angelegt, dass sinnvolle Sätze und Dialoge entstehen, wenn alle Ausdrücke verwendet werden. Es kann aber auch so vorgegangen werden, dass die Schüler einige Ausdrücke aus dem Schüttelkasten mehrmals verwenden, andere dagegen überhaupt nicht. Am Ende, möglicherweise zu einem späteren Zeitpunkt, können die Wortkarten in Partnerarbeit eingesetzt werden.
Bei **Teil 3** ist es wichtig, mit den Schülern über die Piktogramme zu sprechen, damit sie lernen, dargestellte Situationen zu erkennen. Dann werden die Übungen im Buch bearbeitet. Auch hier gilt, wie in Teil 2, dass die Schüler die Ausdrücke im Schüttelkasten entweder jeweils nur einmal verwenden können oder beliebig oft. In den Einheiten 1–4 sollen die Schüler zu allen Piktogrammen sowohl Aufforderungen als auch Fragen üben. Deshalb stehen hier auf den Piktogrammen noch keine Frage- und Ausrufezeichen. Erst in den Einheiten 5–7 sind die Piktogramme – wie auch in der Prüfung – mit Ausrufezeichen oder Fragezeichen versehen. Zum Schluss werden wieder, wie in Teil 2, die Karten in Partnerarbeit frei eingesetzt.
Bei den Piktogrammen im LHB wurde durchgängig auf Frage- und Ausrufezeichen verzichtet, um die Übungsmöglichkeiten nicht einzuschränken. Es empfiehlt sich, das den Unterricht belebende Spiel „Kopf oder Zahl?" einzusetzen.

Um die Schüler bereits frühzeitig auf die konkrete Prüfungssituation vorzubereiten, sollte bei den Hör-und Leseaufgaben der Antwortbogen benutzt werden, der als Fotokopiervorlage beigefügt ist.

Die alphabetische Wortliste ermöglicht es, sich jederzeit über den auf der Niveaustufe A1 geforderten Wortschatz zu informieren. Anhand von Beispielsätzen können die Schüler die Bedeutung der Wörter kontextbezogen verstehen.

Ich, du, wir

1 Mindmap

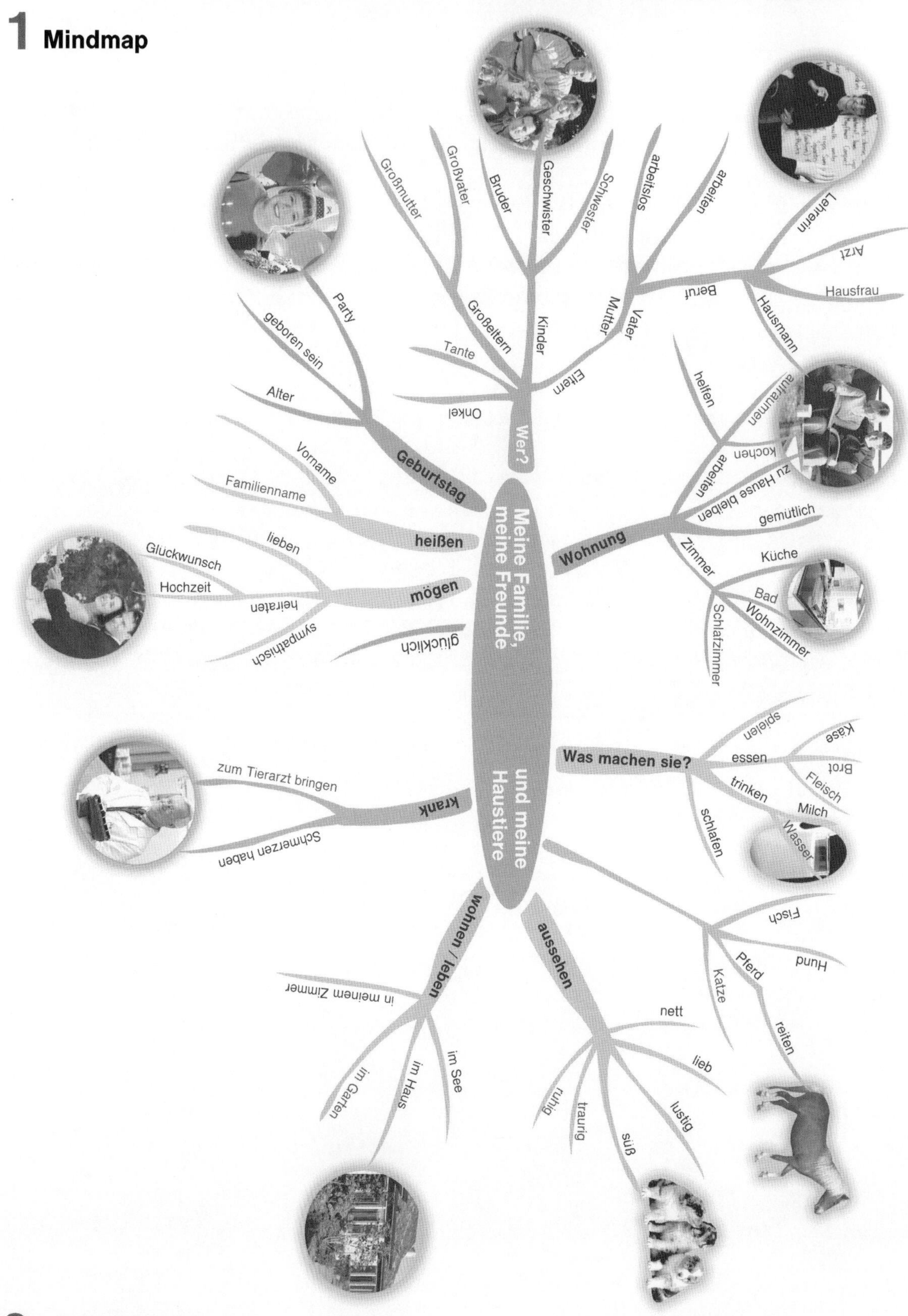

2 Lösungsvorschlag:

Hast du ein Haustier?
Welche Haustiere magst du?
Was isst dein Haustier/dein Hund/deine Katze?
Wo lebt dein Haustier?
Wie alt bist du?
Machst du eine Geburtstagsparty?
Räumst du dein Zimmer auf?
Hast du Geschwister/einen Bruder/eine Schwester?
Wie heißt dein Bruder/deine Schwester?
Mit wem wohnst du zusammen?

Meine Familie, meine Freunde und meine Haustiere

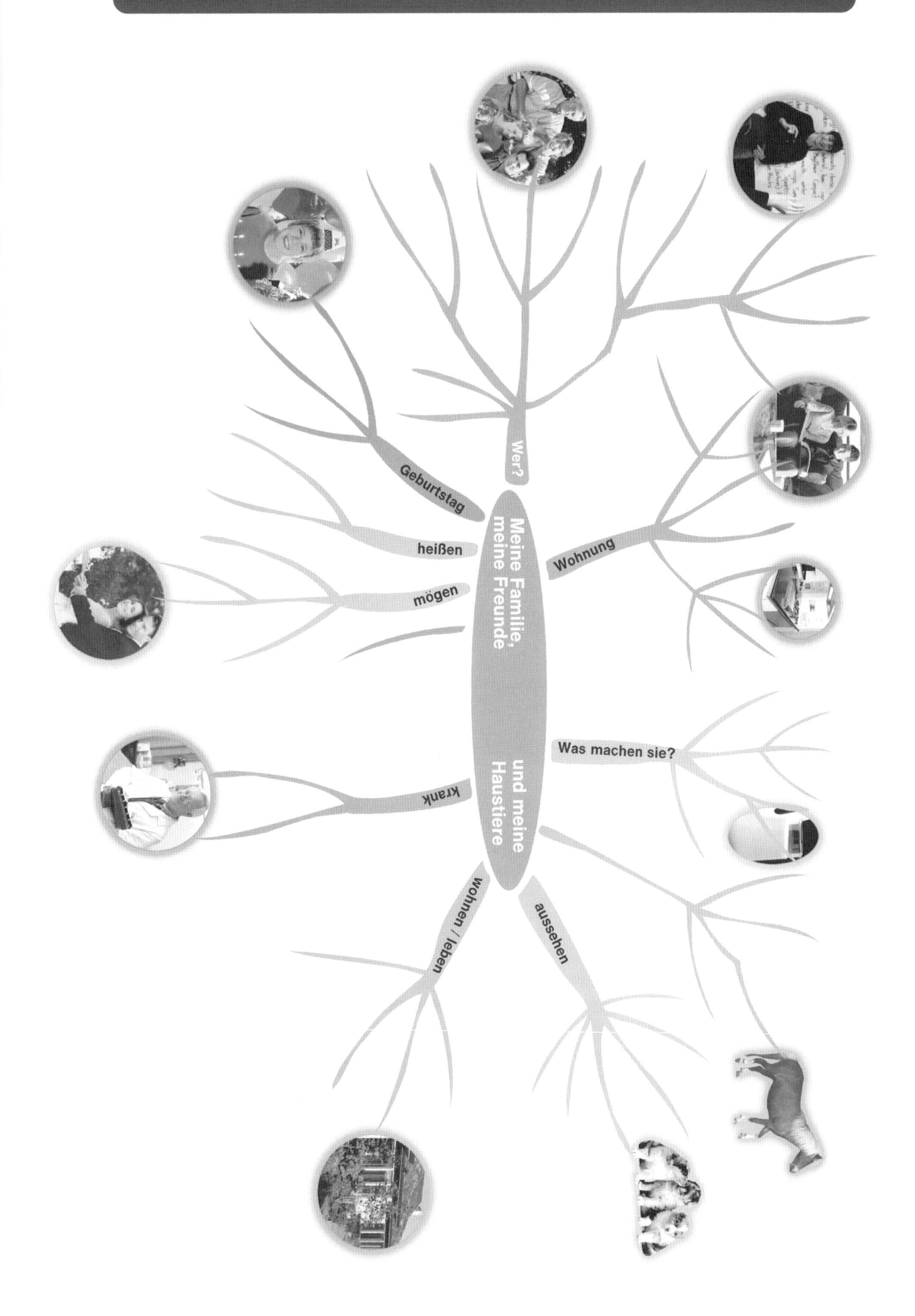

Hören

Teil 1

1. Nachricht:

Hallo, Tante Lisa,
hier spricht Katharina. Du weißt ja, Oma hat morgen Geburtstag. Wir treffen uns alle um 3 Uhr bei uns und gehen zusammen hin. Onkel Heiner kommt auch. Also, dann bis morgen Nachmittag um 3.
Tschüs!

Lösungen: 1**b**, 2**b**

2. Nachricht:

Hi, Benno,
ich bin's, Kati. Hast du am Samstag Zeit? Ich mache eine Party bei uns zu Hause. Thomas und Vicky kommen auch. Die Party beginnt um 20 Uhr. Bring bitte CDs mit, wir wollen tanzen. Ich hoffe, du kannst kommen.
Tschüs!

Lösungen: 3**b**, 4**c**

3. Nachricht:

Hallo, Tina,
hier ist Christian. Wo bist du? Es ist schon halb neun. Meine Eltern und ich fahren jetzt los. Entschuldigung, aber wir können leider nicht warten, wir kommen sonst zu spät.
Also tschüs, tut mir Leid!

Lösungen: 5**a**, 6**b**

Teil 2

1. Gespräch:

Fredy: Markus, stimmt das, du hast einen Onkel in Italien?
Markus: Ja, meine halbe Familie lebt in Trentino, Fredy.
Fredy: Toll! Hat dein Onkel auch Kinder?
Markus: Ja, Chiara ist so alt wie ich. Sie hat einen großen Bruder. Er heißt Patricio und ist schon 16. Und sie hat eine kleine Schwester, aber Laura ist noch sehr klein.
Fredy: Besuchst du sie manchmal?
Markus: Sicher! In den Sommerferien fahren wir immer nach Italien und in den Weihnachtsferien kommen sie zu uns.
Fredy: Du hast es gut. Ich wünsche mir auch eine Tante oder einen Onkel in einem anderen Land.

Lösungen: 7**R**, 8**F**, 9**R**

2. Gespräch:

Oma: Na, mein Junge, du wohnst jetzt schon vier Wochen in Köln.
Sven: Ja, Oma.
Oma: Und, wie gefällt es dir?
Sven: Köln ist eine tolle Stadt!
Oma: Hast du schon Freunde?
Sven: Ja, klar! Mit Frank gehe ich zur Schule. Er wohnt auch hier im Haus. Und mit Basti mache ich Computerspiele.
Oma: Machst du auch deine Hausaufgaben, Sven?
Sven: Ja, doch, Oma.
Oma: Gut, mein Junge. Gib mir jetzt bitte mal Mama!

Lösungen: 10**R**, 11**R**, 12**F**

Lesen, Schreiben, Sprechen

Lesen

Teil 1

Anzeige 1:	1**b**, 2**c**, 3**a**
Anzeige 2:	4**c**, 5**b**, 6**a**

Teil 2

Beschreibung 1:	7**R**, 8**F**, 9**F**
Beschreibung 2:	10**R**, 11**F**, 12**F**

Schreiben

Übung 2: **1** Hallo, **2** Mein Name, **3** Meine Familie, **4** Ich habe, **5** Er ist, **6** Meine Eltern, **7** Deshalb, **8** Magst, **9** Antworte

Sprechen

Teil 2

Übung 1: haben, sein, kaufen

Übung 2:
anrufen: (wen?) meine Eltern, meinen Bruder
mögen: (was?) mein Zimmer, unseren Garten
mögen: (wen?) meinen Freund, meine Tante

Übung 3:

Wann hast du Geburtstag?	Im Mai.
Was ist dein Vater von Beruf?	Architekt.
Welche Haustiere magst du?	Katzen und Hunde.

Übung 4:

Hast du heute Geburtstag?	Nein, leider nicht.
Bist du von Beruf Architekt?	Nein, ich bin Schüler.
Möchtest du eine Wohnung kaufen?	Vielleicht.
Magst du Haustiere?	Nein, nicht besonders.
Magst du meine Stadt?	Ja, sehr!

Teil 3

Übung 1: **a** Katze, **b** Geschenk, **c** Zimmer, **d** Supermarkt, **e** Großeltern, **f** Vater

Übung 2: spielen, kaufen, einkaufen, besuchen, helfen

Übung 3 (!!!):

Spiel ein bisschen mit der Katze!	Nein, ich habe jetzt keine Lust.
Kauf doch ein Geschenk!	Ja, klar!
Besuch heute die Großeltern!	Heute kann ich nicht. Vielleicht morgen.
Hilf bitte dem Vater!	Ja, gleich.
Kauf im Supermarkt ein!	Ja, das kann ich machen.

Übung 3 (???): Zimmer, Katze, Supermarkt, Großeltern, Vater, Geschenk

Sprechen

1

Baby

2

Geschwister

3

besuchen

4

5

6

Lösungsvorschläge zu den Wortkarten:

Wie heißt das Baby?	Es heißt Maria.
Wie viele Geschwister hast du?	Ich habe zwei Geschwister: Zwei Brüder.
Wann besuchst du deine Großeltern?	Am Wochenende.

Lösungsvorschläge zu den Piktogrammen:

Magst du Hunde?	Nein, ich mag lieber Katzen.
Bring den Hund zum Tierarzt!	Ja, ich gehe morgen.
Was kochst du?	Ich koche Gemüse.
Koch Fleisch und Gemüse!	Ich mag kein Gemüse.
Wann gehst du ins Bett?	Um 9 Uhr.
Geh jetzt ins Bett!	Nein, ich will noch lesen!

Sport, Spiel und Spaß

1 Mindmap

Meine Freizeit und meine Hobbys

- **Sport**
  - schwimmen
    - Bikini
  - wandern
  - reiten
  - Basketball spielen
  - Tennis spielen
  - spazieren gehen
- **ausgehen**
  - tanzen
  - in die Disko
  - einen Film sehen
  - ins Kino
- **Ausflüge**
  - **fahren**
    - mit dem Zug
    - mit dem Schiff
    - aussteigen
    - einsteigen
    - mit dem Rad
    - mit dem Auto
    - mit dem Bus
  - **mitnehmen**
    - Fotoapparat
    - Fahrkarte
    - Rucksack
- **Wo?**
  - in der Stadt
  - am See
  - im Park
  - im Garten
  - im Schwimmbad
  - im Wald
  - am Strand
- **Wann?**
  - am Wochenende
  - am Montag
  - dreimal in der Woche
  - jeden Tag
  - jede Woche
- **Wie ist das?**
  - mögen
  - schwer
  - gefallen
  - interessant
  - einfach
- **Musik**
  - **hören**
    - Walkman
    - Kassetten (-rekorder)
    - CD (-Player)
    - Radio
  - Popmusik
  - **machen**
    - in einer Band spielen
    - Klavier spielen
- **Hobbys zu Hause**
  - lesen
    - Buch
    - Zeitung
    - Rätsel
    - Comic
    - Krimis
  - etwas sammeln
  - basteln
  - fernsehen
  - im Internet surfen
  - Computerspiele spielen

2 Lösungsvorschlag:

Was machst du in deiner Freizeit?
Liest du gern?
Was liest du gern?
Kannst du Klavier spielen?
Wie oft machst du einen Ausflug / Ausflüge?

Magst du Sport?
Wann gehst du ins Kino?
Fährst du gern Rad?
Gehst du oft im Park spazieren?
Welche Musik hörst du gern?

Meine Freizeit und meine Hobbys

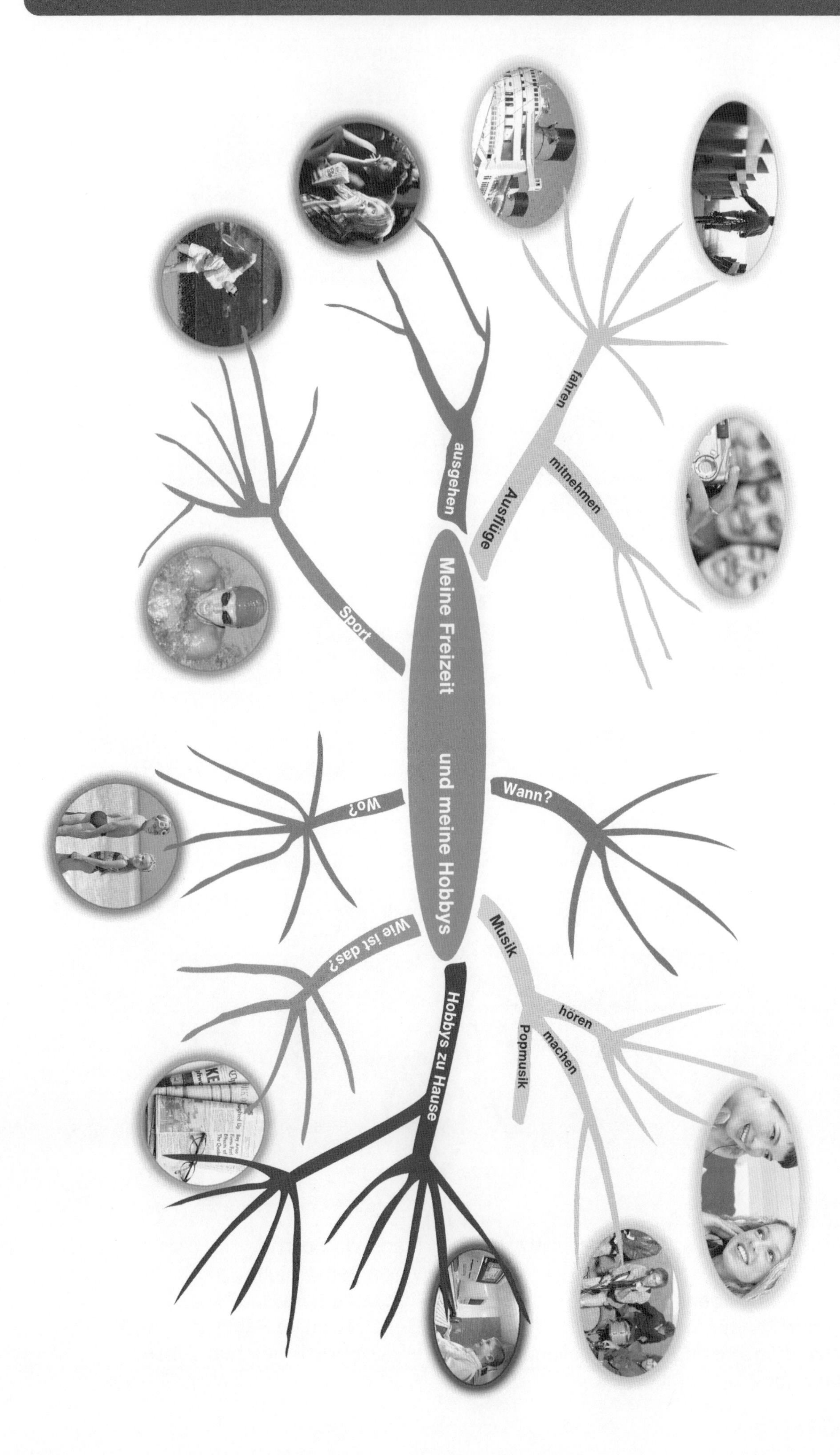

Hören

Teil 1

1. Nachricht:

Hallo, Moni,
hier ist Julia. Die Tanzlehrerin ist krank. Wir haben also heute Nachmittag kein Tanzen. Die Stunde machen wir dann nächste Woche. Ruf Lilli an und sag es ihr bitte auch. Danke!
Mach's gut und tschüs!

Lösungen: 1**b,** 2**c**

2. Nachricht:

Hi, Nina,
hier ist Sarah. Meine Eltern fahren morgen in den Freizeitpark. Da gibt es ein supertolles Schwimmbad. Ja, und da ist auch der Europa-Spielplatz. Das macht Spaß! Also, komm bitte mit. Morgen kostet es nur 5 €. Du kannst mich bis 10 Uhr anrufen.
Tschüs!

Lösungen: 3**a,** 4**a**

3. Nachricht:

Grüß dich, Peter!
Hier spricht Atse. Was ist? Warum kommst du nicht? Alle sind hier, nur du nicht. Also, wir fahren jetzt mit dem Bus in die Stadt. Wir gehen in den Film um 19 Uhr 30. Dann gehen wir vielleicht noch ein Eis essen. Du weißt schon, im Eiscafé „Cortina".
Tschüs!

Lösungen: 5**b,** 6**b**

Teil 2

1. Gespräch:

Sonja: Hallo, Eva!
Eva: Du, Sonja, was machst du nach den Hausaufgaben?
Sonja: Hm, heute um fünf habe ich Gitarrenstunde.
Eva: Oh, hast du schon lange Unterricht?
Sonja: Na ja, so 2 Jahre.
Eva: Spielst du schon gut?
Sonja: Es geht. Ich muss mehr üben.
Eva: Ich lerne Klavier.
Sonja: Wir können ja mal was zusammen spielen.
Eva: Gute Idee! Hast du Noten?
Sonja: Ich frag mal meine Gitarrenlehrerin.

Lösungen: 7**R,** 8**F,** 9**R**

2. Gespräch:

Alex: Du, Florian, was machst du am Samstagnachmittag?
Florian: Ich weiß noch nicht, warum?
Alex: Ich spiele Basketball, komm doch auch.
Florian: Meinst du? Wann spielt ihr denn?
Alex: Von 5 bis 7 und wir brauchen so gute Spieler wie dich.
Florian: Wo spielt ihr denn?
Alex: In der Schule.
Florian: Hm, da brauche ich mit dem Fahrrad nur 10 Minuten.
Alex: Genau! Ich fahre auch mit dem Rad.
Florian: In Ordnung, um Viertel vor 5 bin ich bei dir.
Alex: Gut, dann bis Samstag!

Lösungen: 10**F,** 11**R,** 12**R**

Lesen, Schreiben, Sprechen

Lesen

Teil 1

Anzeige 1:	1**b**, 2**b**, 3**a**
Anzeige 2:	4**a**, 5**c**, 6**b**

Teil 2

Beschreibung 1:	7**F**, 8**R**, 9**F**
Beschreibung 2:	10**R**, 11**F**, 12**F**

Schreiben

Übung 2:
Lösungsvorschlag:
Hallo, mein Name ist Anja.
Deine E-Mail ist toll.
Mein Lieblingssport ist Basketball.
Meine Adresse ist: Stuttgart, Langestraße.

Sprechen

Teil 2

Übung 1: lesen, fahren, hören

Übung 2:
treffen: andere Schüler, den Onkel
gewinnen: einen Walkman, Bücher

Übung 3:

Was kann man gewinnen?	Eine Reise.
Wo liest du gern Krimis?	Im Bett.
Wann fährst du Rad?	Am Wochenende.
Wann hörst du Musik?	Heute Abend.
Welche Freunde triffst du in der Stadt?	Bettina und Thomas.

Übung 4:

Hörst du gern Musik?	Ja, sehr gern.
Fährst du oft Rad?	Ja, sehr oft.
Liest du gern Krimis?	Ja, die gefallen mir.
Triffst du heute deine Freunde?	Vielleicht, ich weiß noch nicht.

Teil 3

Übung 1: **a** Disko, **b** Comic, **c** Kassetten, **d** Computerspiel, **e** Fahrkarte, **f** Walkman

Übung 2: gehen, lesen, spielen, kaufen, mitbringen

Übung 3 (!!!):

Gib mir sofort den Walkman!	Nein, ich will nicht!
Geh heute nicht in die Disko!	Ich möchte aber gehen!
Kauf bitte gleich eine Fahrkarte!	Ich habe kein Geld!
Lies den Comic!	Das finde ich langweilig.
Spiel doch das neue Computerspiel!	Ja, gern.

Übung 3 (???): Kassetten, Computerspiele, Walkman, Fahrkarte, Disko, Comics/ Comics

Sprechen

1

spazieren gehen

4

2

Ferien

5

3

Band

6

Lösungsvorschläge zu den Wortkarten:

Wann gehst du spazieren?	Nach dem Essen.
Wann beginnen die Ferien?	Am Montag.
Spielst du in der Band?	Ja, ich spiele Klavier.

Lösungsvorschläge zu den Piktogrammen:

Welche Filme magst du?	Krimis.
Geh ins Kino!	Nein, ich habe heute keine Lust.
Liest du ein Buch?	Ja, ich lese Harry Potter.
Gib mir das Buch!	Ja, gleich!
Spielst du gern Basketball?	Ja, sehr gern.
Spiel bitte mit mir Computerspiele!	Das kann ich nicht.

Was ist in der Schule los?

1 Mindmap

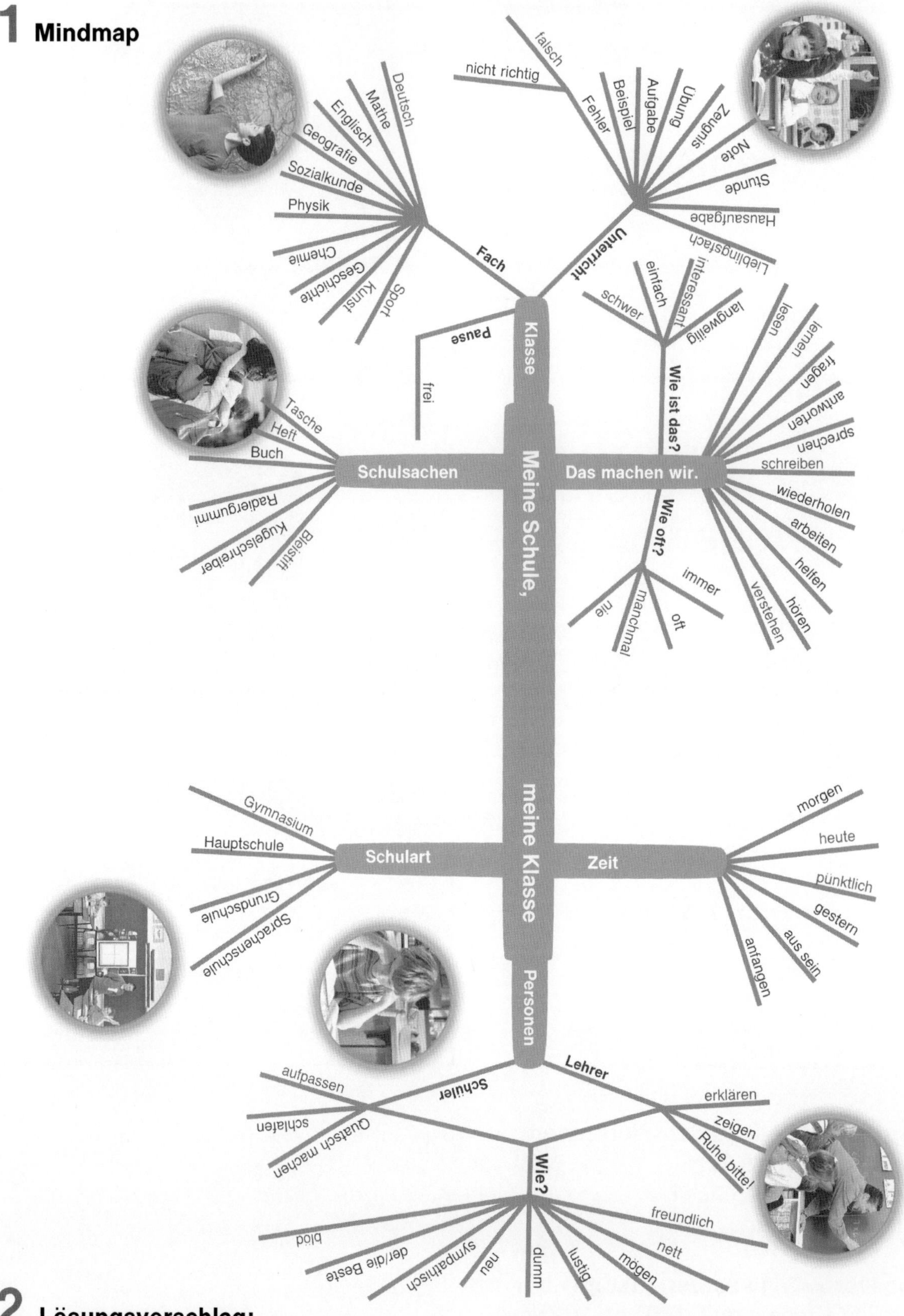

2 Lösungsvorschlag:

In welche Klasse gehst du?
Wie viele Schüler sind in deiner Klasse?
Gehst du gern in die Schule?
Was ist dein Lieblingsfach?
Was magst du nicht in der Schule?
Hast du einen Lieblingslehrer / eine Lieblingslehrerin?
Musst du viel für die Schule lernen?
Was machst du in der Pause?
Wann machst du Hausaufgaben?
Welche Sachen brauchst du am Montag für die Schule?

Meine Schule und meine Klasse

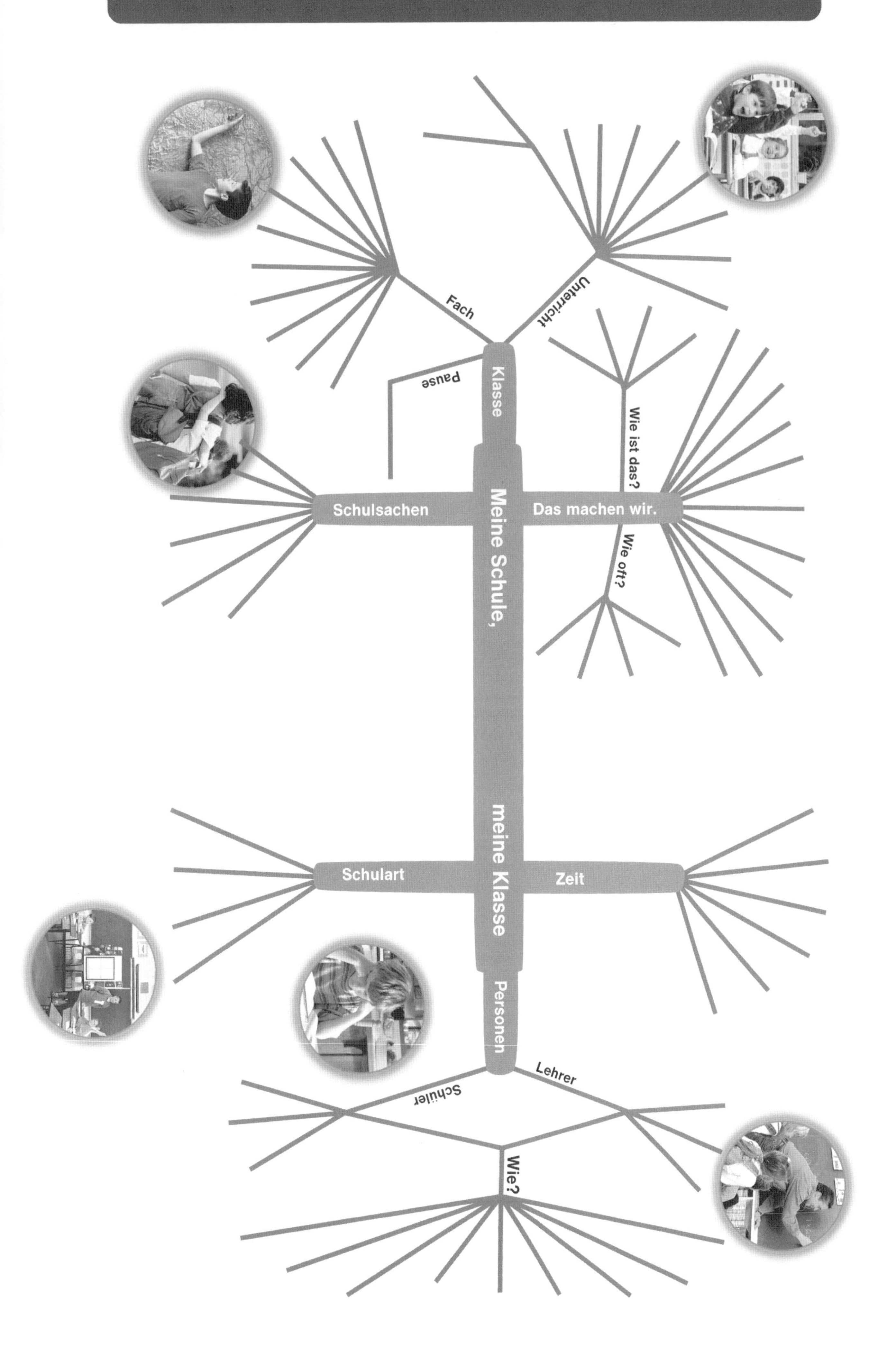

Hören

Teil 1

1. Nachricht:

Guten Tag, Frau Sämann,
hier spricht Frau Möggel, die Mutter von Lydia. Lydia geht es nicht gut. Sie hat Kopfschmerzen. Es tut mir sehr Leid, aber sie kann heute nicht zur Klavierstunde kommen. Hoffentlich ist es nächste Woche wieder besser.

Lösungen: 1**c**, 2**b**

2. Nachricht:

Hallo, Tobias,
hier ist Julian. Was haben wir gleich noch mal in Mathe auf? Ich weiß es nicht mehr. Ich fang schon mal mit Geschichte an. Und Bio muss ich auch noch machen. Macht nichts, wenn es spät ist. Ich schlafe nicht vor halb elf.
Ciao!

Lösungen: 3**c**, 4**c**

3. Nachricht:

Hallo, Tom!
Ich bin's, Nora. Wir sollen doch die Aufgaben für Geografie zusammen machen. Wir müssen viel im Buch lesen, aber dann schreiben wir die Aufgaben zusammen. Wann hast du Zeit? Ich kann nur Dienstag oder Donnerstag.
Und du? Ruf mich an!
Tschüs!

Lösungen: 5**b**, 6**c**

Teil 2

1. Gespräch:

Mathelehrer: Und nun rechnet ihr die Aufgabe 2b!
Clarissa: Du, wie findest du den Englischlehrer?
Daniela: Den Englischlehrer? Oh, ganz in Ordnung.
Clarissa: Nur in Ordnung? Ich finde ihn total süß.
Daniela: OK, er sieht gut aus, aber den Unterricht kannst du vergessen.
Clarissa: Das macht nichts.
Daniela: Du bist ja total verrückt.
Clarissa: Na und? Und wer gefällt dir?
Daniela: Also, der Biolehrer kann gut erklären.
Clarissa: Findest du ihn hübsch?
Daniela: Das ist doch nicht wichtig.
Mathelehrer: Ruhe bitte, da hinten!

Lösungen: 7**F**, 8**R**, 9**R**

2. Gespräch:

Peter: Ach, Hannes, wir schreiben bald eine Mathearbeit und ich verstehe rein gar nichts. Können wir mal zusammen lernen?
Hannes: Ja, gern, aber heute habe ich keine Zeit. Ich muss noch einkaufen: die Sachen für Kunst, einen Kugelschreiber und ein Poster für mein Zimmer will ich auch.
Peter: Weißt du was, ich komme mit in die Stadt. Ich brauche einen Ordner und will eine CD kaufen.
Hannes: Prima, Peter! Und wenn es nicht zu spät ist, dann können wir immer noch Mathe machen.
Peter: Super! Wann treffen wir uns?

Lösungen: 10**R**, 11**F**, 12**R**

Lesen, Schreiben, Sprechen

Lesen

Teil 1

Anzeige 1:	1**b**, 2**c**, 3**a**
Anzeige 2:	4**c**, 5**a**, 6**b**

Teil 2

Beschreibung 1:	7**F**, 8**F**, 9**R**
Beschreibung 2:	10**R**, 11**F**, 12**F**

Schreiben

Übung 2: Ich heiße Sandra, bin, Ich wohne, lerne ich, möchte ich, machen, Deshalb suche ich, Ich gehe, sind Mathematik und Spanisch, schreib schnell!

Sprechen

Teil 2

Übung 1: die Wörter, besuchen, lernen, schreiben, das Englischbuch

Übung 2:

Wann schreibst du die Klassenarbeit?	Ich glaube, morgen.
Wann bringst du das Englischbuch mit?	Vielleicht morgen.
Wann wiederholst du die Grammatik?	Vielleicht heute Nachmittag.

Übung 3:

Besuchst du das Gymnasium?	Ja, schon zwei Jahre.
Lernst du Deutsch?	Ja. Deutsch und Englisch.
Schreibst du heute eine Klassenarbeit?	Ich weiß nicht.
Bringst du morgen das Englischbuch mit?	Ja, sicher!
Gehst du manchmal in die Bibliothek?	Nein. Ich lerne zu Hause.

Teil 3

Übung 1: **a** Bleistift, **b** Aufgabe, **c** Deutschkurs, **d** Computer, **e** Sprachenschule, **f** E-Mail

Übung 2: schreiben, machen, gehen, arbeiten, schicken

Übung 3 (!!!):

Schreib bitte mit dem Bleistift!	Ja, das kann ich machen.
Mach jetzt bitte die Aufgabe!	Ja, gleich!
Geh doch in die Sprachenschule!	Ja, vielleicht.
Arbeite doch mehr mit dem Computer!	Das ist eine gute Idee.
Schick mir bitte eine E-Mail!	In Ordnung.

Übung 3 (???): Deutschkurs, Aufgabe/Aufgaben, Bleistift/Bleistift, Sprachenschule, E-Mails, Computer

Sprechen

1

Montag

2

Hausaufgaben

3

lernen

4

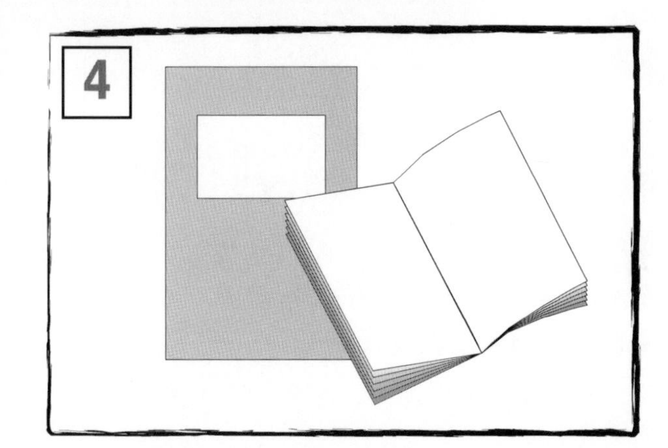

5

6

Lösungsvorschläge zu den Wortkarten:

Hast du am Montag Deutsch?	Ja, eine Stunde.
Machst du auch am Wochenende Hausaufgaben?	Ja, leider.
Lernst du Deutsch?	Ja, schon zwei Jahre.

Lösungsvorschläge zu den Piktogrammen:

Wo sind die Hefte?	In der Tasche.
Nimm die Hefte mit!	Ja, das mache ich.
Was machst du in der Pause?	Ich spiele.
Macht jetzt Pause!	Endlich!
Machst du gern Sport?	Ja, sehr gern.
Mach mehr Sport!	Ich habe keine Zeit.

SMS, PC, DVD

1 Mindmap

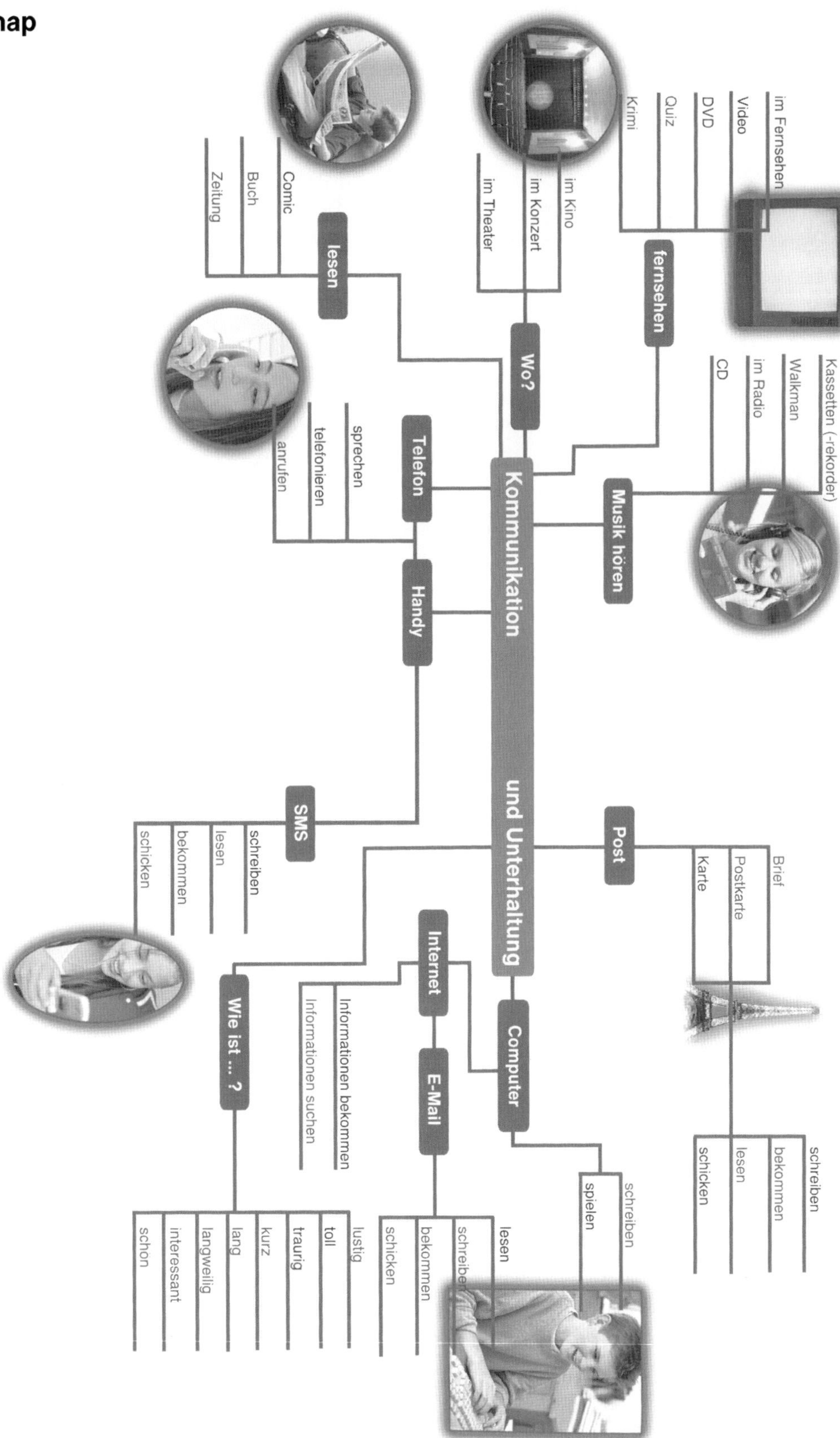

2 Lösungsvorschlag:

Wo siehst du Filme?
Wie oft gehst du ins Theater/Kino/Konzert?
Liest du gern Bücher/Comics/Zeitungen?
Hörst du oft Musik?
Wie viele Musikkassetten/CDs hast du?
Telefonierst du oft?
Wie viele Stunden sitzt du am Computer?
Was kann man im Internet machen?
Schreibst du manchmal Briefe/E-Mails?
Wem schickst du SMS?

Kommunikation und Unterhaltung

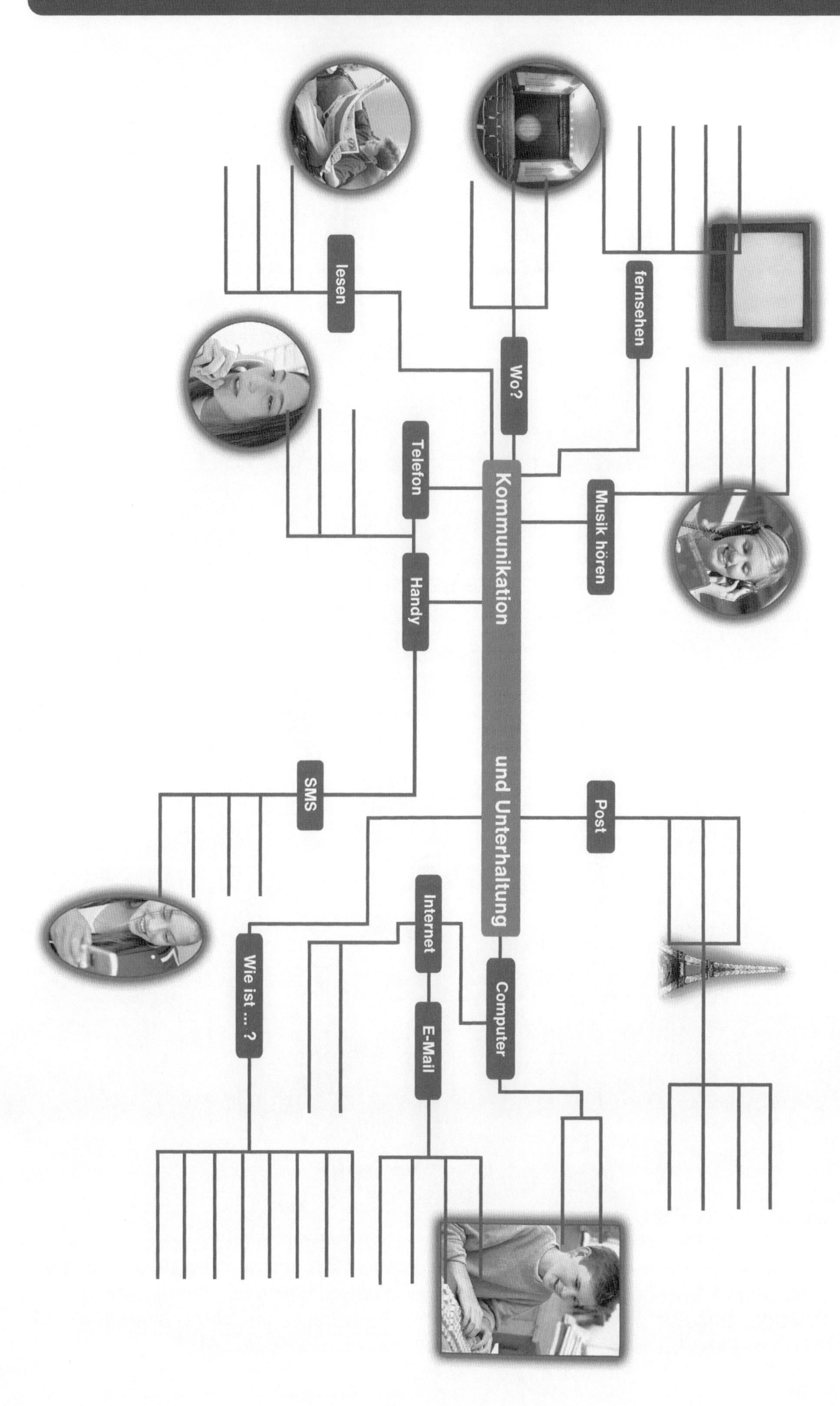

Teil 1
1. Nachricht:
Hi, Nina,
hier spricht Sandra. Du wirst es nicht glauben, aber ich habe jetzt auch ein Handy. Toll, was? Jetzt können wir immer und überall telefonieren. Na ja, ich muss natürlich aufpassen. Zu teuer darf es nicht werden, aber ich habe ja ein Handy mit Karte. Also, ruf mich an! Meine Nummer ist 1762 8355094.
Ciao!
Lösungen: 1**b,** 2**a**

2. Nachricht:
Hallo, Andi,
hier ist Matze. Andi, mach um 6 Uhr das Radio an. Da kommt etwas über unsere Schule. Ja, wirklich! Da gibt es Informationen über 100 Jahre Schulgeschichte in der Stadt und am Ende ein Quiz. Interessant, was? Also, um 18 Uhr, Radio Regenbogen.
Tschüs!
Lösungen: 3**b,** 4**c**

3. Nachricht:
Hi, Niko,
hier ist Christian. Du, ich habe ein neues Computerspiel, das ist super! Ich spiele schon zwei Stunden lang und es ist immer noch nicht langweilig. Wenn du wieder da bist, ruf mich an oder komm gleich vorbei. Ich muss es dir zeigen. Es macht wirklich Spaß!
Bis dann – Servus!
Lösungen: 5**c,** 6**a**

Teil 2
1. Gespräch:
Anja: Du, Katrin, du wünschst dir doch auch so sehr einen Hund.
Katrin: Ja, warum?
Anja: In der Zeitung ist eine Anzeige. Schau, hier!
Katrin: Lust auf junge Hunde?
Fünf liebe, kleine Hündchen zu verschenken, sechs Wochen alt, braun, ideal für Familie mit Kindern.
Anja: Und, was sagst du?
Katrin: Ja, schon Anja, aber unsere Eltern!
Anja: Komm, wir fragen sie zusammen, ob wir die Hunde mal besuchen dürfen.
Anja: Das ist eine gute Idee. Komm, die Zeitung nehmen wir auch mit.
Lösungen: 7**R,** 8**F,** 9**R**

2. Gespräch:
Silke: Was gibt es denn am Wochenende im Fernsehen?
Almut: Moment, ich lese gerade im Fernsehheft.
Silke: Gibt es einen interessanten Film?
Almut: Hm, im ersten ist eine Talkshow.
Silke: Puh, langweilig!
Almut: Im zweiten kommt ein Film mit Eddie Murphy.
Silke: Ja, das ist sicher lustig. Zeig mal her!
Aha, der Film am Samstag ist um 20 Uhr 15.
Almut: Am Sonntagnachmittag gibt es einen Film über Afrika.
Silke: Ach so, Afrika machen wir gerade in Geografie.
Almut: Kein Problem: Samstag also Film und Sonntag Information.
Lösungen: 10**F,** 11**R,** 12**F**

Lesen, Schreiben, Sprechen

Lesen

Teil 1

Anzeige 1:	1**b**, 2**c**, 3**a**
Anzeige 2:	4**b**, 5**b**, 6**c**

Teil 2

Beschreibung 1:	7**R**, 8**F**, 9**F**
Beschreibung 2:	10**R**, 11**F**, 12**F**

Schreiben

Übung 2: **1** Matthias, **2** 13 Jahre alt, **3** Freiburg, **4** Englisch, Französisch und Italienisch, **5** Deutsch und Sport, **6** Internet, **7** Computerspiele, **8** Kino, **9** Kino

Sprechen

Teil 2

Übung 1: jeden Abend, schreiben, sehen, oft mit Freunden, Bücher und Zeitschriften

Übung 2:

Wem schreibst du Briefe?	Meinem Freund.
Mit wem telefonierst du?	Mit meinen Freunden.
Wann liest du Bücher?	Am Wochenende.

Übung 3:

Siehst du gern Videos?	Nein, nicht besonders gern.
Schreibst du viele Briefe?	Nein, ich telefoniere lieber.
Siehst du oft fern?	Nein. Das wollen meine Eltern nicht.
Telefonierst du oft mit Freunden?	Ja, sehr oft.
Liest du gern deutsche Bücher?	Nein, ich finde sie zu schwer.

Teil 3

Übung 1: **a** Postkarte, **b** Adresse, **c** Handy, **d** Internet, **e** CDs, **f** Telefon

Übung 2: schreiben, surfen, hören, anrufen, geben

Übung 3 (!!!):

Schreib die Adresse bitte richtig!	Na klar!
Surf doch mal im Internet!	Das ist eine gute Idee.
Hör doch CDs!	Das mache ich oft.
Ruf heute Abend deine Eltern an!	Das mache ich sicher.
Gib mir sofort das Handy!	Da, nimm es!

Übung 3 (???): Internet, CDs, Handy, Postkarte, Adresse

Sprechen

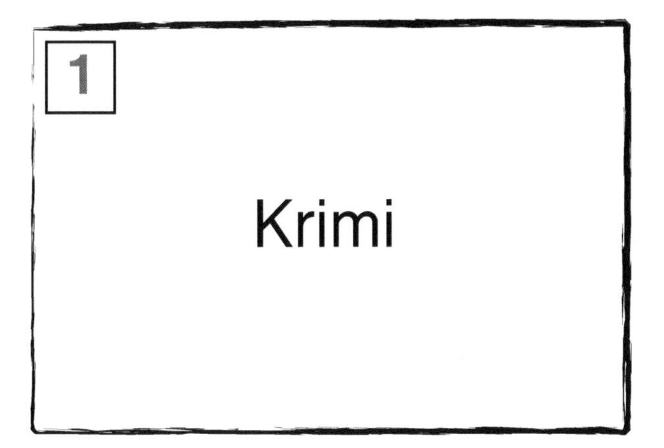

2

Radio

3

schicken

Lösungsvorschläge zu den Wortkarten:

Wie findest du Krimis? — Krimis finde ich interessant.
Wann hörst du Radio? — Ich höre jeden Nachmittag (Musik im) Radio.
Wem schickst du E-Mails? — Meinen Freunden.

Lösungsvorschläge zu den Piktogrammen:

Was gibt es im Fernsehen? — Einen Krimi.
Sieh nicht so viel fern! — Ich sehe aber gern fern.

Liest du oft Zeitung? — Nein, nicht so oft.
Kauf bitte eine Zeitung! — Ja, gleich.

Schreibst du oft Briefe? — Nein, ich schreibe lieber SMS.
Schreib mir bitte einen Brief! — Ja, klar!

Ich kauf mir was!

1 Mindmap
Lösungsvorschlag:

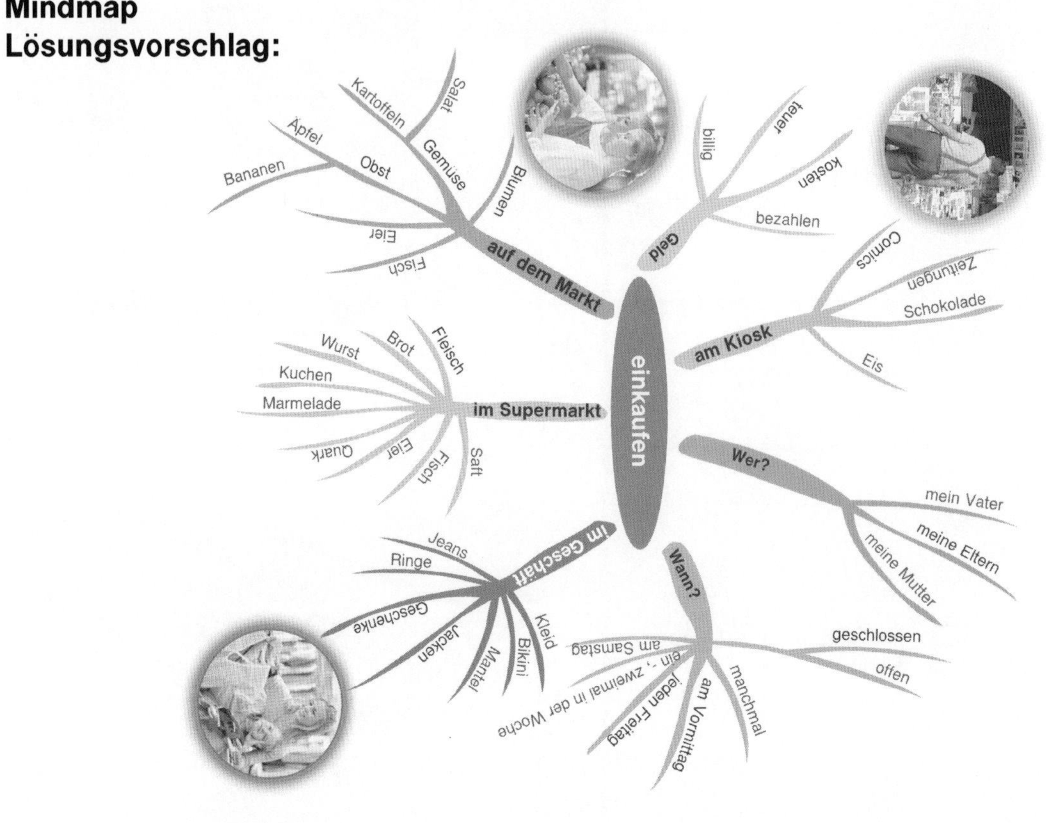

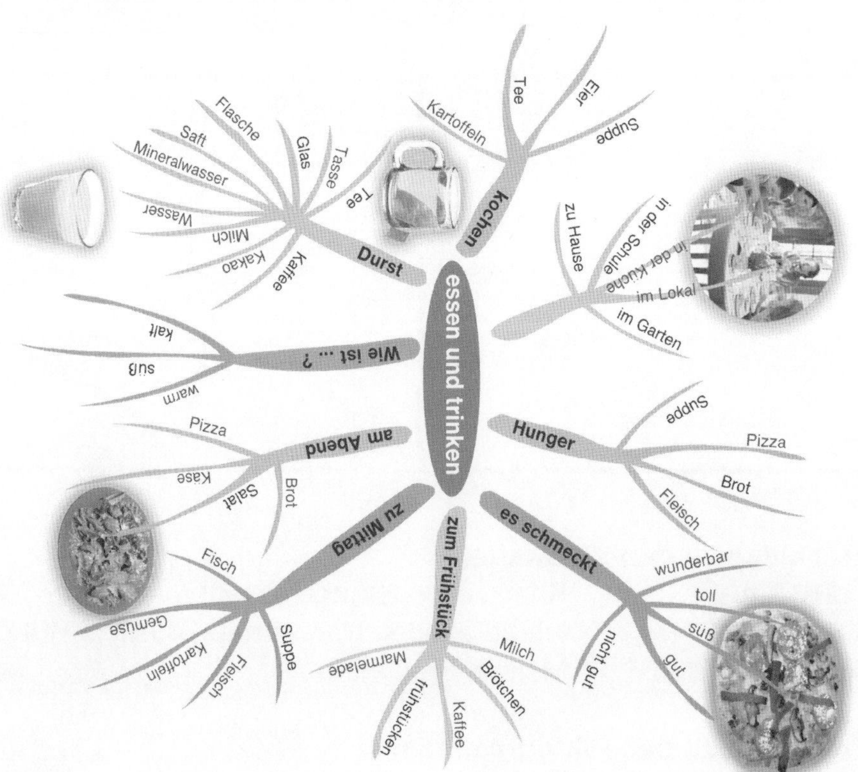

2 Lösungsvorschlag:

Was isst du zum Frühstück/zu Mittag/
zu Abend/in der Schule?
Isst du gern Fisch?
Trinkst du gern Milch?
Was schmeckt dir gut/nicht so gut?
Kannst du kochen?

Kaufst du oft/manchmal ein?
Was kaufst du im Supermarkt/im Geschäft?
Was gibt es auf dem Markt?
Wann sind die Geschäfte geschlossen /
offen?
Wie viel kostet ein Eis?

Essen und Trinken, Einkaufen

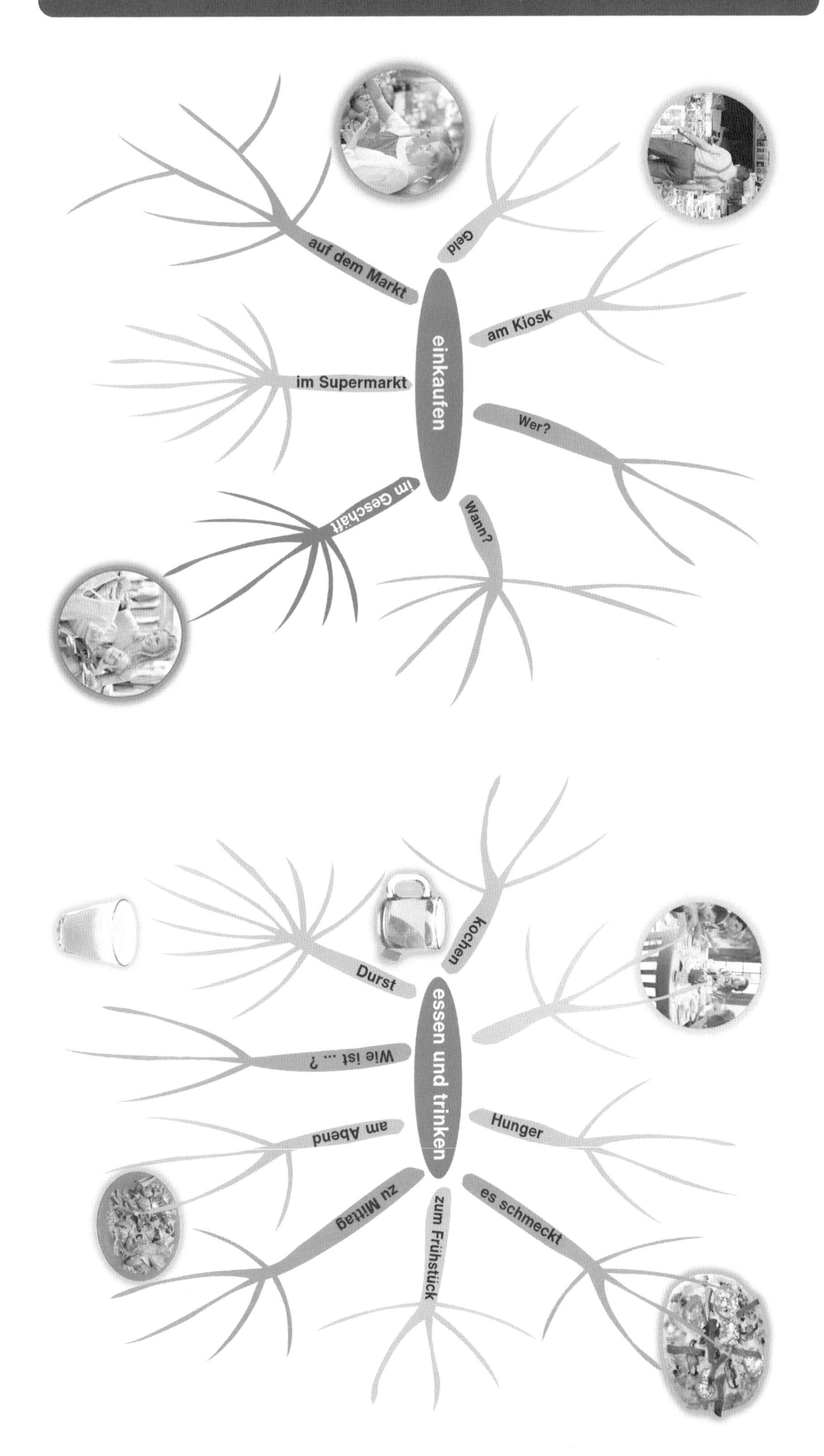

Hören

Teil 1

1. Nachricht:

Liebe Tante Lucia,
hier spricht Sabine. Ich lade dich zu meinem Geburtstag ein. Mama macht ganz viele Sachen zum Essen. Am Nachmittag gibt es ab 4 Uhr Kaffee und Kuchen. Später essen wir dann Pizza und Salat. Hm, das schmeckt! Ich bin so froh.
Du kommst doch – oder?
Tschüs!

Lösungen: 1**a**, 2**a**

2. Nachricht:

Hallo, Achim,
hier ist Rainer. Morgen ist die Klassenparty. Wir brauchen noch etwas zum Essen und Trinken. Ich bringe Kartoffelsalat. Kannst du Mineralwasser mitbringen? Die Party beginnt um 19 Uhr, aber wir treffen uns um 18 Uhr bei mir.
Sei bitte pünktlich!

Lösungen: 3**c**, 4**b**

3. Nachricht:

Hallo, Leonie,
hier ist Mami. Ich komme heute später nach Hause. Ich habe keine Zeit zum Einkaufen. Geh bitte zum Supermarkt und kauf ein Brot, 1l Milch, Tee und 1kg Äpfel. Geld ist in der Küche auf dem Tisch. Danke! Wenn du Lust hast, machen wir am Abend ein Spiel. OK?
Bis später!

Lösungen: 5**a**, 6**c**

Teil 2

1. Gespräch:

Vater: Hier ist die Karte, Lena. Was willst du essen? Fleisch oder Fisch?
Lena: Fisch mag ich nicht. Darf ich Spagetti essen?
Vater: Klar!
Lena: Und du? Was isst du, Papa?
Vater: Ich glaube, ich nehme Fleisch und trinke einen Wein. Was möchtest du trinken?
Lena: Ach, nur ein Glas Wasser.
Vater: Gut. Herr Ober …

Lösungen: 7**F**, 8**R**, 9**R**

2. Gespräch:

Helen: Komm Stefan, wir machen Frühstück!
Stefan: Ja, gern, was brauchen wir?
Helen: Gehen wir zuerst mal in die Küche.
Stefan: Also hier sind Brot und Brötchen.
Helen: Ich koche Eier.
Stefan: Sehr gut! Sag mal, Helen, magst du lieber Marmelade oder Schokocreme?
Helen: Beides! Was willst du trinken?
Stefan: Was haben wir da?
Helen: Milch, Kakao, Saft, Wasser, …
Stefan: Für mich bitte Kakao.
Helen: Ich trinke ein Glas Milch.
Stefan: Hab ich einen Hunger! Fangen wir an?

Lösungen: 10**R**, 11**R**, 12**F**

Lesen, Schreiben, Sprechen

Lesen

Teil 1

Anzeige 1:	1**a**, 2**c**, 3**b**
Anzeige 2:	4**b**, 5**a**, 6**b**

Teil 2

Beschreibung 1:	7**F**, 8**F**, 9**R**
Beschreibung 2:	10**R**, 11**F**, 12**F**

Schreiben

Übung 2: **1** gefällt, **2** heiße, **3** bin, **4** wohne, **5** spreche, **6** esse, **7** schmecken, **8** machst, **9** Antworte

Sprechen

Teil 2

Übung 1: gehen, im Supermarkt, haben, mögen, Saft

Übung 2:

Wann gehst du in die Apotheke?	Jetzt gleich.
Wo kaufst du ein?	Im Supermarkt.
Warum magst du keinen Fisch?	Ich weiß nicht.
Was möchtest du trinken?	Tee.

Übung 3:

Kaufst du im Supermarkt ein?	Ja, ich brauche Brot, Wurst und Käse.
Hast du Hunger?	Ja, ich möchte jetzt Spagetti essen.
Magst du Fisch?	Nein, nicht besonders.
Trinkst du gern Tee?	Nein, ich trinke lieber Coca Cola.

Teil 3

Übung 1: **a** Küche, **b** Gemüse, **c** Eis, **d** Marmelade, **e** Kühlschrank, **f** Jeans

Übung 2: arbeiten, essen, kaufen, zumachen, tragen

Übung 3 (!!!):

Mach bitte den Kühlschrank zu!	Ja, klar!
Kauf doch ein Eis!	Ja, toll!

Übung 3 (???):

Wo ist die Marmelade?	Auf dem Tisch.
Welche Jeans gefallen dir?	Diese Jeans hier.
Isst du zum Frühstück Brot mit Marmelade?	Nein. Ich esse lieber Corn-Flakes mit Milch.
Trägst du gern Jeans?	Ja, ich mag Jeans.

Sprechen

1

Frühstück

2

Kiosk

3

kosten

4

5

6

Lösungsvorschläge zu den Wortkarten:

Was trinkst du zum Frühstück? Ich trinke Tee oder Milch.
Was kaufst du am Kiosk? Ich kaufe Eis/Schokolade.
Wie viel kostet ein Comic/ein Buch? Ein Comic/ein Buch kostet ... .

Lösungsvorschläge zu den Piktogrammen:

Wie findest du das Kleid? Ich finde es sehr schön.
Kauf das Kleid! Nein, es ist sehr teuer.

Haben wir noch Äpfel? Nein, wir müssen Äpfel kaufen.
Iss einen Apfel! Ich möchte lieber eine Banane.

Gehst du gern in ein Lokal? Ja, sehr gern.
Geh doch heute Abend in ein Lokal! Das ist eine gute Idee.

Stadt, Land, Fluss

1 Mindmap

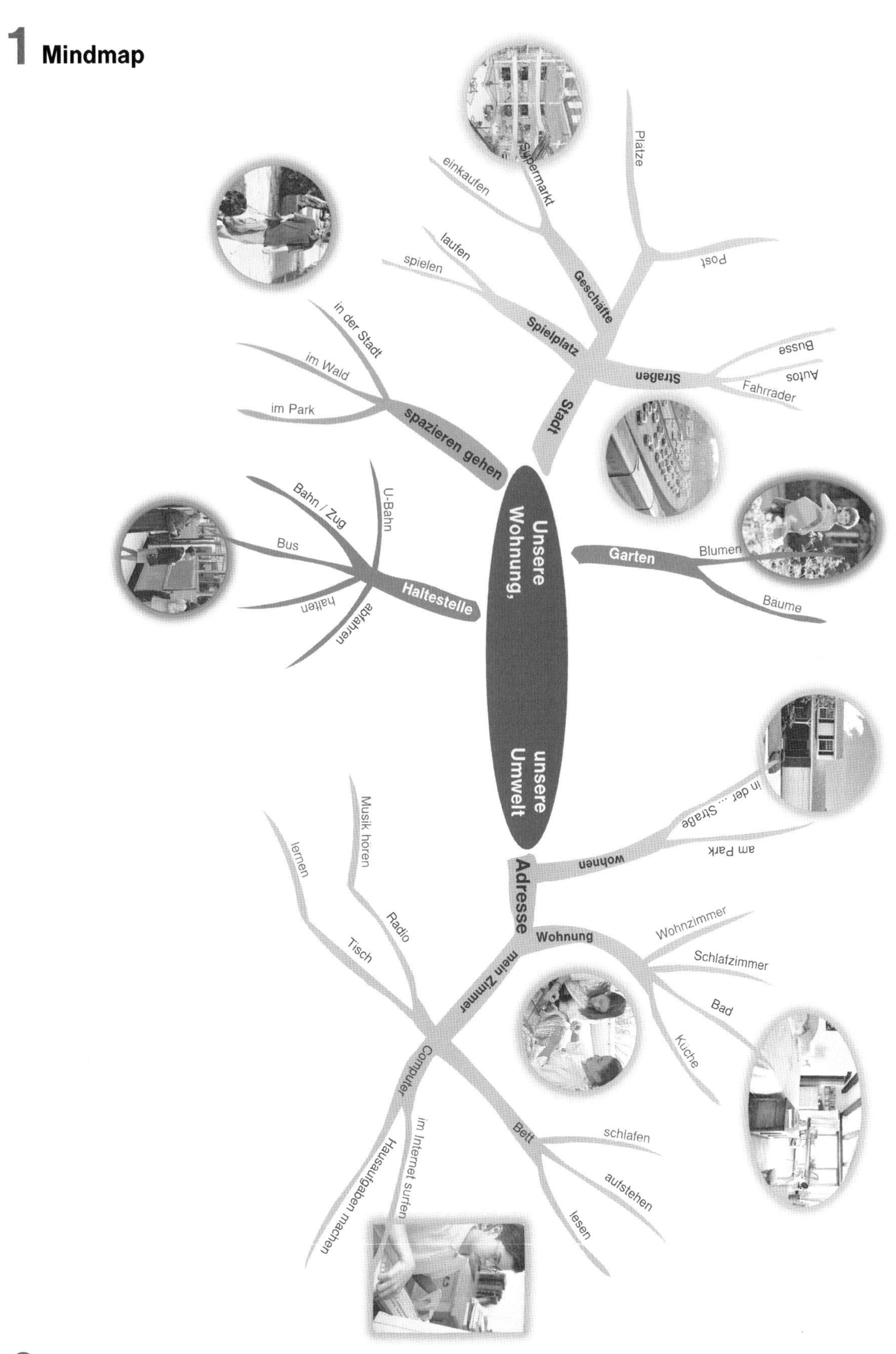

2 Lösungsvorschlag:

Wo wohnst du?
Wie viele Zimmer hat deine Wohnung?
Hast du auch ein Zimmer?
Was machst du in deinem Zimmer?
Liest du gern im Bett?
Wo ist die Bushaltestelle?
Wohin fährt der Bus?
Gehst du oft/heute/jetzt auf den Spielplatz?
Wo machst du deine Hausaufgaben?
Wann spielst du im Garten?

Unsere Wohnung, unsere Umwelt

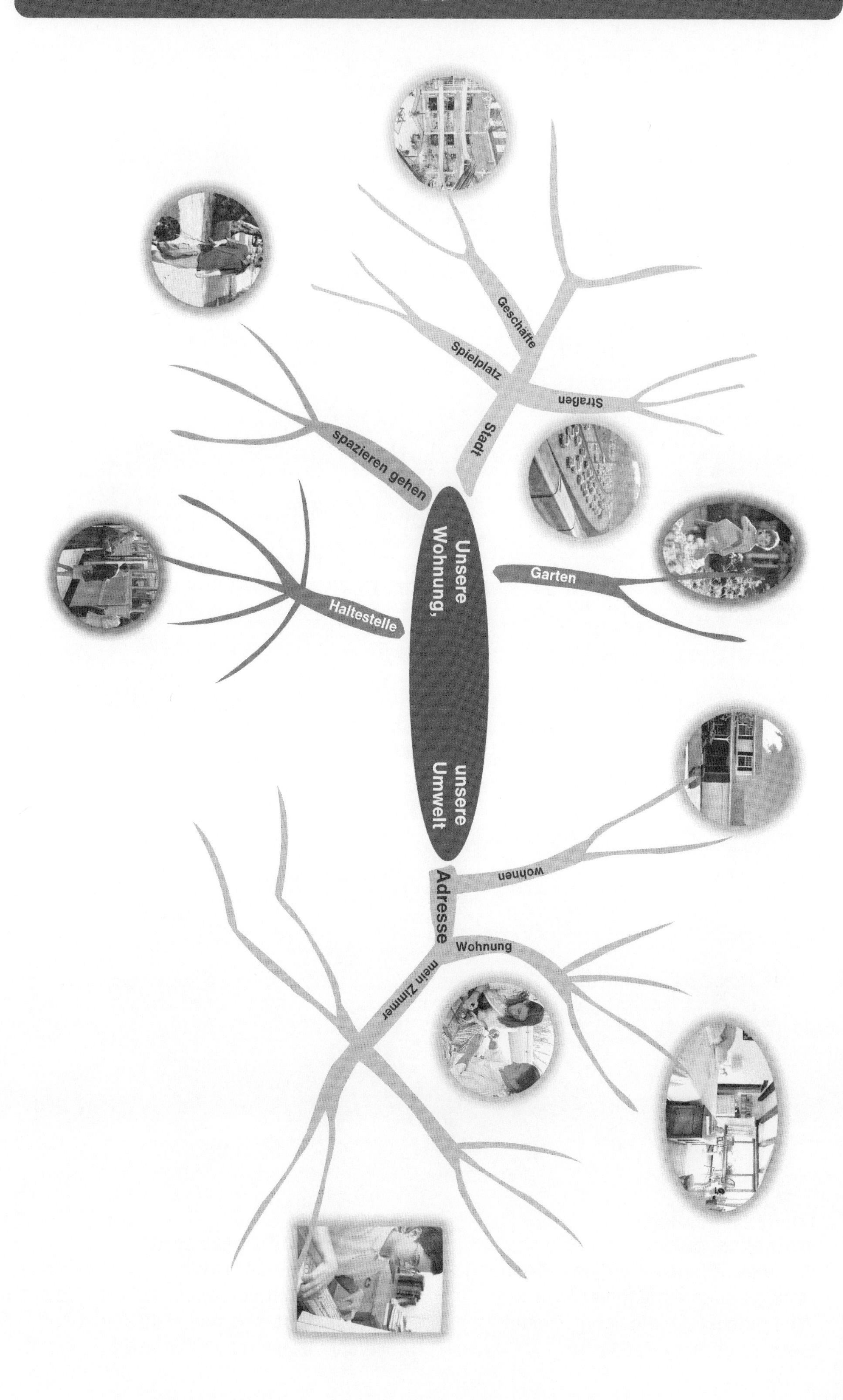

Hören

Teil 1

1. Nachricht:

Hallo, Lars,
hier spricht Timo. Du, ich kann leider doch nicht kommen. Ich darf nicht weg. Ich muss mein Zimmer aufräumen. Meine Oma kommt am Freitag zu uns und alles soll Tip-Top sein. Meine Eltern sind so blöd. Was macht das schon, es ist doch mein Zimmer.
Tschüs!

Lösungen: 1**c**, 2**a**

2. Nachricht:

Hallo, Susi,
hier ist Karolin. Ich gehe jetzt los. Wir treffen uns dann am Haus am See. Du fährst mit dem Bus bis zur Schule, dann gehst du die Schulstraße geradeaus, die Seestraße rechts und am Wald links bis an den See. Das ist ganz einfach.
Bis bald!

Lösungen: 3**a**, 4**c**

3. Nachricht:

Hallo, Lisa,
ich bin's, Kerstin. Du besuchst mich doch am Samstag. Meine Eltern sind am Wochenende nicht da. Kannst du über Nacht bleiben? Dann bin ich nicht so allein. Ich habe ein Bett für dich in meinem Zimmer. Wir lesen Comics, hören CDs, spielen etwas oder sehen fern, so lange wir wollen. Wunderbar!
Bis Samstag also!

Lösungen: 5**c**, 6**a**

Teil 2

1. Gespräch:

Jörg: Sag mal, Josi, was macht dein großer Bruder?
Josi: Martin? Martin wohnt nicht mehr bei uns. Er wohnt jetzt in der Stadt.
Jörg: Wohnt er bei eurer Oma?
Josi: Nein, nein, er hat eine Wohnung für sich.
Jörg: Toll! Warst du schon dort?
Josi: Aber klar, Jörg!
Jörg: Und – wie ist die Wohnung?
Josi: Na, ganz normal, er hat ein Wohnzimmer, eine Küche, ein Schlafzimmer und ein Bad.
Jörg: Und – hat er Platz für Besuch?
Josi: Ja, klar, du kennst ihn doch!
Jörg: Super! Wann besuchen wir deinen großen Bruder?

Lösungen: 7**R**, 8**F**, 9**R**

2. Gespräch:

Oliver: Sieh dir das an, Chris: So viele Autos in der Stadt!
Chris: Ja, das ist ein Problem.
Oliver: Was machen die alle in der Stadt?
Chris: Keine Ahnung. Die Leute fahren zur Arbeit, sie kaufen ein. Was weiß ich?
Oliver: Und da müssen sie mit dem Auto fahren?
Chris: Du hast Recht, Oliver. Sie können den Bus nehmen.
Oliver: Genau! Dann gibt es wieder Platz für Parks und Spielplätze.
Chris: Und wir können auch wieder mit dem Fahrrad fahren.

Lösungen: 10**R**, 11**F**, 12**F**

Lesen, Schreiben, Sprechen

Lesen

Teil 1

Anzeige 1:	1**c**, 2**b**, 3**b**
Anzeige 2:	4**c**, 5**b**, 6**c**

Teil 2

Beschreibung 1:	7**F**, 8**R**, 9**F**
Beschreibung 2:	10**F**, 11**F**, 12**R**

Schreiben

Übung 2: **1** Stadt, **2** Fluss, **3** Gärten, **4** besuchen, **5** kommen, **6** Fußball, **7** Klavier, **8** Musik

Sprechen

Teil 2

Übung 1: haben, treffen, im Park, spielen, meine Stadt

Übung 2:

Wie findest du mein Zimmer?	Es ist super.
Wann gehst du auf den Spielplatz?	Nach der Schule.
Wer ist im Garten?	Meine Mutter und mein Bruder.

Übung 3:

Machst du einen Ausflug mit der Schule?	Vielleicht.
Hast du Blumen auf dem Balkon?	Nein, leider nicht.
Spielst du oft im Garten?	Ja, jeden Tag,
Gefällt dir mein Zimmer?	Ja, es ist toll.
Gehst du jetzt auf den Spielplatz?	Ja, ich gehe gleich.

Teil 3

Übung 1: **a** Post, **b** Wohnzimmer, **c** Bett, **d** U-Bahn, **e** Fenster, **f** Haltestelle

Übung 2: aufräumen, nehmen, aufmachen, gehen, laufen

Übung 3 (!!!):

Räum endlich das Wohnzimmer auf!	Ich habe jetzt keine Zeit.
Mach bitte das Fenster auf!	Sofort!

Übung 3 (???):

Wann kommt die U-Bahn?	Um 3 Uhr.
Wo ist hier eine Haltestelle?	Am Marktplatz.
Ist hier die Haltestelle?	Ja, am Kino.
Bringst du den Brief zur Post?	Ja, das mache ich heute Nachmittag.

1

Marktplatz

2

wohnen

3

Zimmer

Lösungsvorschläge zu den Wortkarten:

Wo ist der Marktplatz?	Du gehst 100 Meter geradeaus, da ist der Marktplatz.
Wo wohnst du?	In der Seestraße.
Wie viele Zimmer hat deine Wohnung?	Fünf Zimmer.

Lösungsvorschläge zu den Piktogrammen:

Wann kommt der Bus?	Um zwei Uhr.
Fahr mit dem Bus in die Stadt!	Nein, ich gehe lieber zu Fuß.
Wo ist hier ein Arzt?	Hier, neben der Schule.
Geh doch zum Arzt!	Ja, ich gehe morgen.
Fährst du oft Fahrrad?	Nein, nur am Wochenende.
Fahr doch mit dem Rad zur Schule!	Meine Mutter will das nicht. Sie hat Angst.

Endlich Ferien!

1 Mindmap

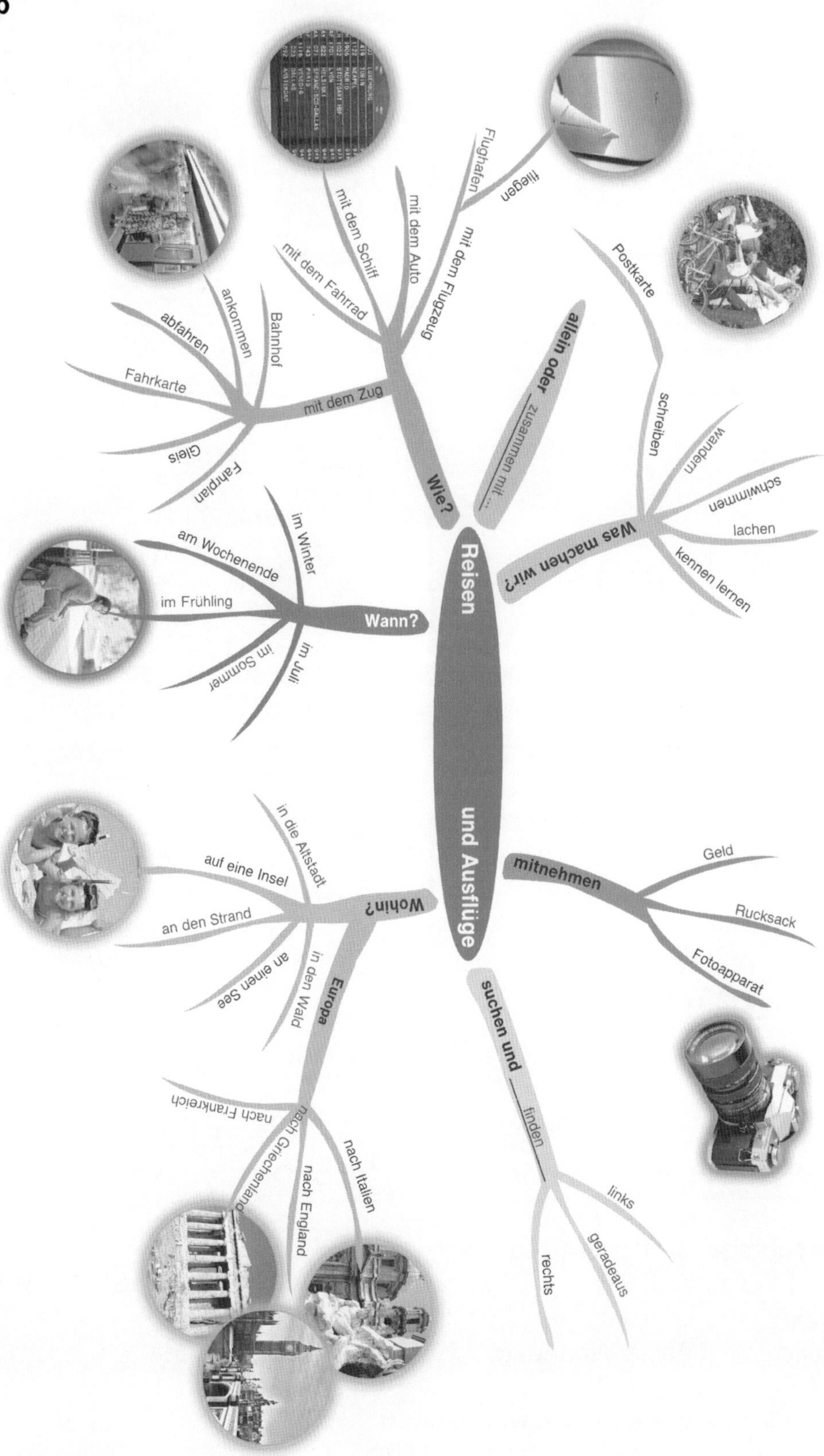

2 Lösungsvorschlag:

Wann hast du Ferien?
Wohin fährst du gern?
Was machst du in den Ferien?
Schwimmst du gern?
Musst du in den Ferien auch lernen?

Wen triffst du in den Ferien?
Wie kommst du nach Berlin?
Wo fragst du nach dem Fahrplan?
Machst du gern Fotos?
Schreibst du auch Postkarten?

Reisen und Ausflüge

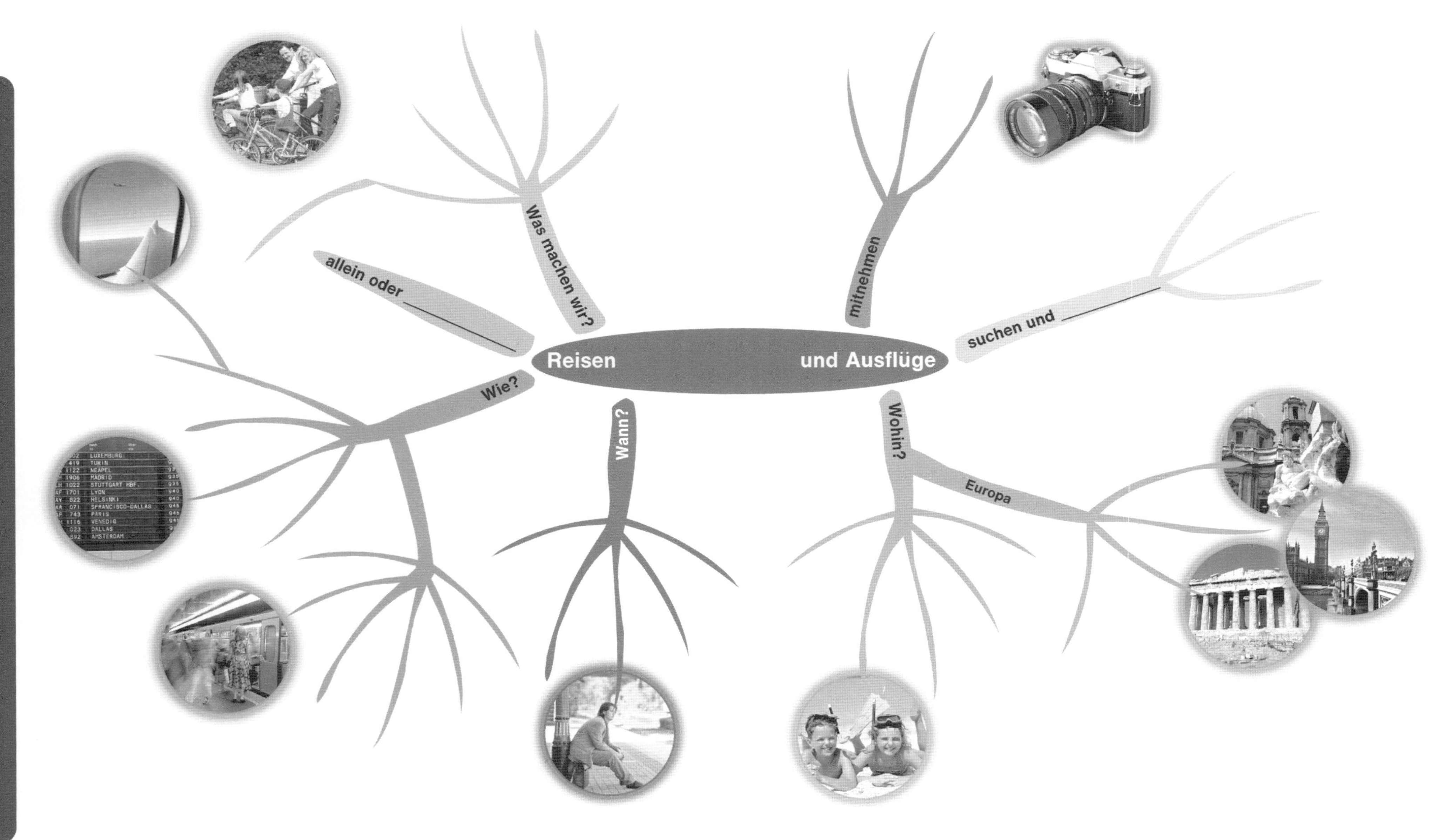

Hören

Teil 1
1. Nachricht:
Tag, Lukas!
Hier ist Nobby. Kommst du mit? Wir sehen uns das Fußballspiel im Olympiastadion an. Wir fahren mit der U-Bahn. Um halb vier treffen wir uns an der Haltestelle. Ach ja, und bring deinen Fotoapparat mit.
Also, bis dann!
Lösungen: 1**b,** 2**a**

2. Nachricht:
Hallo, Mami, hallo, Papi,
hier spricht Fenja. Die Ferien in Deutschland sind wunderbar! Die Klasse und die Lehrerin sind sehr nett. Ich lerne viel Deutsch. In drei Tagen fliege ich ja schon wieder nach Hause. Das Flugzeug kommt um 17 Uhr 35 an. Holt ihr mich vom Flughafen ab?
Tschüs und Küsschen!
Lösungen: 3**a,** 4**b**

3. Nachricht:
Hallo, Babsi,
hier ist Linda. Wir sind schon drei Tage auf der Insel. Es ist so schön! Bitte, bitte, du musst kommen! Wir sind den ganzen Tag am Strand. Wir schwimmen, spielen Ball und haben Spaß. Meine Großeltern haben viel Platz. Du kannst hier schlafen. Ich warte auf dich! Wann kommst du?
Tschüs!
Lösungen: 5**b,** 6**a**

Teil 2
1. Gespräch:
Michael: Entschuldigung! Wann fährt der Zug nach Berlin?
Beamter: Der Zug nach Berlin? … em…, um 14 Uhr 05.
Michael: Wann komme ich in Berlin an?
Beamter: Um 15 Uhr 40.
Michael: Gibt es auch später einen Zug?
Beamter: Ja, um 16 Uhr 12, um 18 Uhr 32, um 19 Uhr 46 und …
Michael: Dann bitte eine Fahrkarte für den Zug um 16 Uhr 12. Was kostet das?
Beamter: Einfach 55 €.
Michael: Gut. Und auf welchem Gleis fährt der Zug ab?
Beamter: Gleis 3.
Michael: Danke!
Lösungen: 7**F,** 8**F,** 9**R**

2. Gespräch:
Volker: Puh, endlich Ferien!
Simon: He, Volker, was machst du in den Ferien?
Volker: Also, ich schlafe zuerst mal aus. Und dann fahre ich zu meinem Onkel. Er hat ein Haus am Chiemsee.
Simon: Toll! Meine Familie fährt drei Wochen in den Süden.
Volker: Oh, noch besser!
Simon: Na ja, drei Wochen mit der Familie können ganz schön langweilig sein.
Volker: Macht ihr keine Ausflüge?
Simon: Ich weiß noch nicht.
Volker: Ach, weißt du, Simon, alles ist besser, was nicht Schule ist!
Simon: Da hast du Recht. Also, schöne Ferien!
Volker: Danke, auch schöne Ferien!
Lösungen: 10**R,** 11**F,** 12**R**

Lesen, Schreiben, Sprechen

Lesen

Teil 1

Anzeige 1: 1**c**, 2**c**, 3**b**
Anzeige 2: 4**a**, 5**c**, 6**b**

Teil 2

Beschreibung 1: 7**F**, 8**F**, 9**R**
Beschreibung 2: 10**F**, 11**F**, 12**R**

Schreiben

Übung 2: Ich heiße Paula. Ich bin 14 Jahre alt und wohne in Berlin. Ich habe eine Schwester. Sie heißt Gerda und ist 15 Jahre alt. Mein Bruder heißt Frederik und ist 9 Jahre alt. In der Schule lerne ich Englisch und Latein. Im Sommer fahre ich nach Italien. Dort gehe ich jeden Tag an den Strand und schwimme.

Sprechen

Teil 2

Übung 1: gehen, fahren, im Meer, kaufen, brauchen

Übung 2:

Mit wem gehst du an den Strand?	Mit meinen Eltern.
Wer fährt ins Ausland?	Mein Bruder.
Wann kann man im Meer schwimmen?	Im Juli und im August.
Wo kann man einen Fahrplan kaufen?	Am Kiosk.

Übung 3:

Gehst du oft an den Strand?	Jeden Tag.
Fährst du dieses Jahr ins Ausland?	Ich weiß noch nicht.
Schwimmst du lieber im Meer oder im Schwimmbad?	Ich finde das Meer besser.
Nimmst du einen Bikini mit?	Na klar!
Hast du einen Fahrplan?	Leider nicht. Ich muss einen kaufen.

Teil 3

Übung 1: **a** Flugzeug, **b** Ball, **c** Bahnhof, **d** Gepäck, **e** See, **f** Altstadt

Übung 2: spielen, mitnehmen, fliegen, besuchen, schwimmen

Übung 3 (!!!):

Nimm wenig Gepäck mit!	Na klar!
Besuch doch die Altstadt!	Das ist eine gute Idee.

Übung 3 (???):

Wer hat einen Ball?	Ich habe einen.
Wann fahren wir zum See?	Am Nachmittag.
Hast du einen Ball?	Ja, hier ist er.
Ist der See groß?	Nein, er ist klein.

Sprechen

1

ankommen

2

Rucksack

3

wandern

Lösungsvorschläge zu den Wortkarten:

Wann kommt der Zug an?	Um 17 Uhr 30.
Wie findest du meinen Rucksack?	Der ist toll.
Wanderst du gern?	Nein, nicht besonders gern.

Lösungsvorschläge zu den Piktogrammen:

Wie komme ich zum Flughafen?	Mit der U-Bahn.
Bring mich bitte zum Flughafen!	Ja, das mache ich gern.
Fährst du gern mit dem Schiff?	Ja, sehr gern.
Fahr doch mit dem Schiff!	Nein, ich möchte fliegen.
Warst du schon auf einer Insel?	Ja, auf Rügen.
Fahr doch auf eine Insel!	Das ist eine tolle Idee.

FIT IN DEUTSCH 1 – ANTWORTBOGEN

Name, Vorname: ______________________ Geburtsdatum: ______________________

HÖREN

Teil 1

1	A	B	C
2	A	B	C
3	A	B	C
4	A	B	C
5	A	B	C
6	A	B	C

Teil 2

7	R	F
8	R	F
9	R	F
10	R	F
11	R	F
12	R	F

richtige Lösung: ________ / 12 x 1,5 = ________ / 18

LESEN

Teil 1

1	A	B	C
2	A	B	C
3	A	B	C
4	A	B	C
5	A	B	C
6	A	B	C

Teil 2

7	R	F
8	R	F
9	R	F
10	R	F
11	R	F
12	R	F

richtige Lösung: ________ = ________ / 12

SCHREIBEN

Inhalt 3 2 1 0

Richtigkeit 3 2 1 0

erreichte Punkte: ________ **x 2 =** ________ **/ 12**

SPRECHEN

Teil 1

2 1 0

Teil 2

Frage / Aufforderung: 2 1 0

Antwort / Reaktion: 2 1 0

Teil 3

Frage / Aufforderung: 2 1 0

Antwort / Reaktion: 2 1 0

Aussprache: 2 1 0

erreichte Punkte: ________ **12 x 1,5 =** ________ **/ 18**

Gesamtpunktzahl: ________

Prädikat	
Punkte	**Note**
60-50	sehr gut
49-40	gut
39-30	befriedigend

Alphabetische Wortliste

A

aber	Das Buch ist dick, aber sehr interessant.
abfahren	Der Bus fährt gleich ab.
abgeben	Wo kann ich mein Gepäck abgeben?
abholen	Ich hole dich von der Schule ab.
die **Achtung**	Achtung! Der Lehrer kommt!
die **Adresse**, -n	Meine Adresse ist: Stuttgart, Heidenstraße 8.
die **Ahnung**	Das weiß ich nicht. Ich habe keine Ahnung!
alle	Ich habe alle CDs von Madonna. / Ich verstehe alles.
allein	Sie ist nicht gern allein zu Haus.
also	Wir haben ein großes Auto. Wir können dich also mitnehmen.
alt	Wie alt ist deine Freundin? / Mein Computer ist sehr alt. / Ich bin 14 Jahre alt.
das **Alter**	Schreib deinen Namen und dein Alter.
die **Altstadt**, **Altstädte**	In der Altstadt gibt es schöne Häuser.
am	Am Samstag / am Abend / am Anfang / am See
an	Sie fahren am Wochenende an den Bodensee.
anders	Ich verstehe die Leute in München nicht. Sie sprechen ganz anders. / Es ist nicht wie immer. Es ist anders.
der **Anfang**, **Anfänge**	Am Anfang war der Film langweilig.
anfangen	Der Film fängt gleich an. / Der Unterricht fängt um 7.45 Uhr an.
die **Angst**, **Ängste**	In der Nacht hat Christina oft Angst.
ankommen	Wann kommt der Zug in Berlin an?
anrufen	Ich rufe dich jeden Tag an!
die **Antwort**, -en	Er weiß die Antwort nicht. / Die Antwort ist richtig!
antworten	Bitte antworte mir bald! / Ich frage und du antwortest.
die **Anzeige**, -n	Die Anzeige steht in der Zeitung.
der **Apfel**, **Äpfel**	Ich mag gern grüne Äpfel.
die **Apotheke**, -n	Aspirin gibt es in der Apotheke.
der **Apparat**, -e	Welcher Apparat ist billig?
der **Appetit**, -e	Guten Appetit! Ich habe immer Appetit.
die **Arbeit**, -en	Die Mathematikarbeit war leicht. / Jürgen arbeitet viel. Er hat viel Arbeit.
arbeiten	Meine Mutter arbeitet bei Lufthansa.
arbeitslos	Christina hat keine Arbeit. Sie ist arbeitslos.
der **Arm**, -e	Tut dein Arm weh?
der **Arzt**, **Ärzte**	Ich gehe zum Arzt.
auch	Ich möchte auch ein Eis.

auf	Das Brot ist auf dem Tisch. / Auf dem Foto ist mein Hund. / Das heißt auf Deutsch „Katze“.	
die **Aufgabe**, -n	Die Aufgabe ist schwer.	
aufmachen	Mach bitte die Tür auf!	
aufpassen	Im Unterricht musst du aufpassen.	
aufräumen	Ich räume mein Zimmer allein auf.	
auf sein	Alle Fenster und Türen im Zimmer sind auf.	
aufstehen	Mein Vater steht um sechs Uhr auf.	
das **Auge**, -n	Deine Augen sind blau.	
aus	Kommst du aus Berlin? / Ich komme um zwei Uhr aus der Schule.	
der **Ausflug**, **Ausflüge**	Unsere Klasse macht einen Ausflug.	
das **Ausland**	Ich möchte Ferien im Ausland machen.	
aussehen	Du siehst toll aus! / Das Kleid sieht super aus.	
aus sein	Um zwei ist der Unterricht aus.	
aussteigen	Ihr müsst am Hauptbahnhof aussteigen.	
das **Auto**, -s	Wir fahren mit dem Auto in die Stadt.	
der **Automat**, -en	Du kannst die Fahrkarte am Automaten kaufen.	

B

das **Baby**, -s	Das Baby ist erst drei Monate alt.	
das **Bad**, **Bäder**	Unser Bad ist groß.	
der **Bahnhof**, **Bahnhöfe**	Der Bahnhof ist nicht weit.	
der **Bahnsteig**, -e	Der Zug fährt auf Bahnsteig fünf ab.	
bald	Bis bald!	
die **Banane**, -n	Magst du Bananen?	
der **Ball**, **Bälle**	Der Ball ist rund.	
die **Band**, -s	Die Band macht Musik.	
Basketball	Meine Hobbys sind Basketball und Lesen.	
basteln	Zu Weihnachten basteln wir Geschenke.	
der **Bauch**, **Bäuche**	Sein Bauch ist dick.	
der **Baum**, **Bäume**	Im Park sind viele Bäume.	
bedeuten	Was bedeutet das Wort?	
bei	Er arbeitet bei Siemens. / Ich bleibe bei meinem Freund.	
beide	Meine Freundin und ich, wir beide sind immer zusammen.	
das **Beispiel**, -e	z.B. = zum Beispiel	
bekommen	Ich bekomme zum Geburtstag ein Fahrrad.	
der **Beruf**, -e	Lehrer ist ein Beruf.	
besetzt	Der Platz ist schon besetzt.	
besonders	Das finde ich besonders schön.	
besser	Geht es dir besser?	
bester, **beste**, **bestes**	der beste Freund, die beste Schülerin	

besuchen	Besuchst du mich morgen? / Am Montag besuche ich Tante Silke.
das **Bett**, -en	Ich gehe immer spät ins Bett.
bezahlen	Was müssen wir für die Fahrkarte bezahlen?
die **Bibliothek**, -en	Ich lese gern in der Bibliothek.
der **Bikini**, -s	Gefällt dir mein Bikini?
billig	Die Bücher sind nicht billig. / Das kostet wenig. Es ist billig.
bis	Wir haben bis vier Uhr Klavierunterricht. / Wir fahren bis Frankfurt.
bisschen	Hast du ein bisschen Zeit? / Ich kann ein bisschen Deutsch.
bitte	Kommst du bitte? / Können Sie mir bitte helfen?
bleiben	Ich bleibe im Hotel. / Wir bleiben heute zu Hause.
der **Bleistift**, -e	Ich schreibe mit Bleistift.
blöd	Ich finde Marion blöd. / Mathematik finde ich blöd.
die **Blume**, -n	Die Blumen sind für meine Freundin. / Die Blumen sind im Garten.
die **Bluse**, -n	Frau Mayer trägt gern Blusen.
brauchen	Ich will schreiben. Ich brauche meinen Bleistift.
der **Brief**, -e	Ich schreibe Onkel Mark einen Brief.
bringen	Bring mir bitte die Zeitung!
das **Brot**, -e	Morgens esse ich Brot. / Magst du Käsebrot?
das **Brötchen**, -	Ich esse gern Brötchen.
das **Buch**, **Bücher**	Das Buch ist langweilig.
der **Bus**, -se	Der Bus fährt zum Flughafen.

C

die **CD**, -s	Ich höre gern Musik. Ich habe viele CDs.
der **Comic**, -s	Ich sammle Comics. / Er liest nur Comics und keine Bücher.
der **Computer**, -	Das ist mein Computer.

D

da	Sind alle Schüler da? / Das Buch ist da auf dem Tisch.
der **Dank**	Vielen Dank!
danken	Die Blumen sind sehr schön, ich danke dir.
dann	Schreib mir, dann schreibe ich dir auch.
dein, -e	Ist das dein Buch?
denken	Ich denke an dich. / Ich denke, der Film ist interessant.
der, **die**, **das**	Möchtest du das da? / Das Fahrrad ist rot.

deshalb	Ich bin krank, deshalb bleibe ich im Bett.
dick	Mein Onkel ist sehr groß und dick.
die **Disko**, -s / die **Diskothek**, -en	Ich tanze gern und ich mag die Musik in der Disko.
diskutieren	In der Pause diskutieren wir immer.
doch	Magst du den Lehrer nicht? – Doch, er ist nett.
dort	Du fährst nach München? Und was machst du dort?
du	Wie heißt du?
dumm	Mein Hund ist dumm.
der **Durst**	Habt ihr Durst?
duschen	Ich dusche jeden Morgen im Badezimmer.

E

das **Ei**, -er	Ich esse zum Frühstück immer ein Ei.
ein, -e	Hast du eine CD?
einfach	Die Aufgabe ist ganz einfach. / Du kannst einfach den Lehrer fragen.
einkaufen	Ich kaufe gern im Supermarkt ein.
einladen	Ich lade dich zum Geburtstag ein.
die **Einladung**, -en	Das ist eine Einladung zur Hochzeit.
einmal	Sag das bitte noch einmal!
die **Eins**	Ich habe eine Eins in Mathematik.
einsteigen	Bitte einsteigen!
einverstanden sein	Ich sage ja. Ich bin einverstanden.
das **Eis**, -	Im Sommer esse ich am liebsten Eis.
die **E-Mail**, -s	Du kannst mir eine E-Mail schicken.
das **Ende**, -n	Das Ende war sehr lustig.
endlich	Komm endlich! Es ist schon spät!
entschuldigen	Entschuldige bitte!
die **Entschuldigung**, -en	Oh, Entschuldigung!
er	Wann kommt er?
erklären	Ich kann dir die Aufgabe erklären.
erzählen	Er erzählt uns immer Geschichten.
es	Heute ist es kalt. / Hier gibt es eine Disko. / Wie geht es dir/Ihnen?
essen	Wollt ihr Hamburger essen?
das **Essen**, -	Das Essen im Lokal ist teuer.
etwas	Hast du etwas Zeit? – Nur zwei Minuten.
euer	Ist das euer Auto?

F

die **Fabrik**, -en	Mein Vater arbeitet in einer Fabrik.
das **Fach**, **Fächer**	Deutsch ist mein Lieblingsfach.
fahren	Wir fahren nach München.
die **Fahrkarte**, -n	Wie teuer ist die Fahrkarte für den Bus?
der **Fahrplan**, **Fahrpläne**	Hast du einen Fahrplan?

das **Fahrrad**, **Fahrräder**	Ich fahre mit dem Fahrrad zur Schule.	
falsch	Deine Antwort ist nicht richtig. Sie ist falsch.	
die **Familie**, -n	Das ist meine Familie: Meine Mutter, mein Vater und mein Bruder.	
der **Familienname**, -n	Der Familienname ist Meier.	
der **Fehler**, -	Das ist falsch. Das ist ein Fehler.	
das **Fenster**, -	Mein Zimmer hat drei Fenster.	
die **Ferien** (Plur.)	In den Ferien fliege ich nach Paris.	
fernsehen	Er sieht jeden Tag zwei Stunden fern.	
das **Fernsehen**	Um 6 Uhr sehe ich einen Film im Fernsehen.	
fertig sein	Wir essen gleich. Das Essen ist fertig.	
der **Film**, -e	Wir sehen im Wohnzimmer einen Film.	
finden	Ich finde dein Zimmer schön. / Ich kann mein Heft nicht finden.	
der **Fisch**, -e	Im See gibt es Fische.	
die **Flasche**, -n	Ich will etwas trinken. Da ist eine Flasche Wasser.	
das **Fleisch**	Ich esse wenig Fleisch, aber viel Fisch.	
fliegen	Sie fliegen mit dem Flugzeug nach Berlin?	
der **Flughafen**, **Flughäfen**	Auf dem Flughafen in Frankfurt gibt es viele Flugzeuge.	
das **Flugzeug**, -e	Das Flugzeug fliegt nach Berlin.	
der **Fluss**, **Flüsse**	Die Donau ist ein Fluss.	
das **Foto**, -s	Das ist ein Foto von meiner Freundin Maria.	
der **Fotoapparat**, -e	Ich will ein Foto machen. Gib mir den Fotoapparat!	
fragen	Ich frage Jan und er antwortet.	
die **Frage**, -n	Eine Frage: Wie heißt du?	
die **Frau**, -en	Kennst du die Frau dort? – Das ist Frau Meier.	
frei	Ist der Platz noch frei?	
der **Freund**, -e; die **Freundin**, -nen	Philipp ist mein Freund. Wir spielen oft zusammen.	
freundlich	Die Lehrerin ist sehr freundlich.	
froh	Frohe Weihnachten!	
früh	Die Schule beginnt um 7.50 Uhr. Das ist früh!	
das **Frühstück**, -e	Zum Frühstück trinke ich Tee.	
frühstücken	Ich frühstücke immer um sieben Uhr.	
für	Ich kaufe ein Geschenk für meine Freundin. / Für wen ist der Saft?	
der **Fuß**, **Füße**	Gehst du zu Fuß zur Schule? / Mein Fuß tut weh.	
Fußball	Wir spielen in der Schule Fußball.	

G

der **Garten**, **Gärten**	Wir haben ein Haus mit Garten.	

geben	Geben sie mir bitte ein Käsebrot. / Was gibt es heute im Kino? / Gibt es hier ein Schwimmbad?	
geboren	Wo bist du geboren?	
der **Geburtstag**, -e	Wann hast du Geburtstag?	
gefallen	Dieser Pullover ist toll. Er gefällt mir sehr.	
gehen	Wir gehen heute ins Kino.	
das **Geld**, -er	Ich kann die CD nicht kaufen. Ich habe kein Geld mehr.	
das **Gemüse**, -	Karotten, Kartoffeln und Tomaten sind Gemüse.	
gemütlich	Unsere Wohnung ist gemütlich.	
genug	Das ist zu wenig. Das ist nicht genug.	
das **Gepäck**	Koffer, Rucksack oder Tasche sind Gepäck.	
gerade	Ich mache gerade meine Hausaufgaben. / Da fährt gerade ein Bus.	
geradeaus	Geh immer geradeaus, dann siehst du die Post.	
gern	Ich lese gern Comics.	
das **Geschäft**, -e	Das Geschäft ist teuer.	
das **Geschenk**, -e	Peter hat morgen Geburtstag. Ich kaufe ein Geschenk.	
die **Geschichte**, -n	Katrin liest eine Geschichte.	
geschlossen sein	Das Schwimmbad ist am Sonntag geschlossen.	
gestern	Gestern war ich in der Disko. Heute gehe ich ins Kino.	
gewinnen	Man kann viel Geld gewinnen.	
das **Glas**, **Gläser**	Ein Glas Wasser, bitte!	
glauben	Ich weiß es nicht genau. Ich glaube es.	
gleich	Das ist mir gleich! / Ich komme gleich.	
das **Gleis**, -e	Der Zug fährt auf Gleis sieben ab.	
das **Glück**	Viel Glück! / Ich hatte Glück.	
glücklich	Heike und Klaus geht es sehr gut. Sie sind sehr glücklich.	
der **Glückwunsch**, **Glückwünsche**	Herzlichen Glückwunsch!	
groß	Unser Hund ist groß.	
die **Großeltern** (Plur.)	Das sind meine Großeltern: Opa Max und Oma Lotte.	
der **Gruß**, **Grüße**	Viele Grüße an Peter!	
gut	Es geht mir gut. / Ich finde die Idee nicht gut. / Der Kuchen ist gut.	

H

das **Haar**, -e	Sie hat rotes Haar.	
haben	Christian hat einen Hund.	
hallo	Hallo! Guten Tag! Wie geht es dir? / Hallo! Bist du Susanne?	
der **Hals**, **Hälse**	Mein Hals tut weh.	

halten	Welcher Bus hält hier?	
die **Haltestelle**, -n	Der Bus hält an der Haltestelle.	
das **Handy**, -s	Ich rufe dich auf dem Handy an.	
das **Haus**, **Häuser**	Bist du am Nachmittag zu Haus? / Ich gehe gleich nach Haus. / Das ist unser Haus.	
die **Hausaufgabe**, -n	Ich mache jetzt meine Hausaufgaben.	
das **Heft**, -e	Schreibt die Übung ins Heft!	
heiraten	Heiko und Sabine heiraten am Samstag.	
heißen	Ich heiße Sandra. Wie heißt du?	
helfen	Kannst du mir bei den Hausaufgaben helfen?	
der **Herr**, -en	Guten Tag, Herr Stiller! / Ist das Herr Schulz?	
herzlich	Herzliche Grüße von Maria.	
heute	Heute schreiben wir eine Klassenarbeit.	
hier	Hier ist meine Schule. / Hier wohnt mein Freund.	
das **Hobby**, -s	Meine Hobbys sind Fußball und Basketball.	
die **Hochzeit**, -en	Die Hochzeit war am Sonntag.	
hoffen	Ich hoffe, du kommst zu meiner Party.	
hoffentlich	Hoffentlich regnet es morgen nicht!	
hören	Wir hören gern Radio.	
hübsch	Ina gefällt das Kleid. Es ist wirklich sehr hübsch.	
der **Hund**, -e	Wir haben einen Hund, eine Katze und Fische.	
der **Hunger**	Wann essen wir? Wir haben Hunger.	

I

ich	Ich habe zwei Brüder. / Ich bin Max. Wer bist du?	
die **Idee**, -n	Die Idee finde ich toll! / Er ist lustig. Er hat immer gute Ideen.	
Ihr, -e	Ist das Ihr Auto?	
immer	Warum bist du immer müde?	
in	In Deutschland / in der Stadt / ins Schwimmbad / in den Park / in den Ferien	
die **Information**, -en	Das weiß ich nicht. Die Information bekommst du von Lena.	
die **Insel**, -n	Kreta ist eine Insel.	
interessant	Der Film gefällt mir. Er ist sehr interessant.	
international	Das ist eine internationale Schule. Die Schüler kommen aus der ganzen Welt.	
das **Internet**	Im Internet kann man Informationen bekommen.	

J

ja	Hast du am Nachmittag Zeit? – Ja, bis um sechs.
die **Jacke**, -n	Nimm eine Jacke mit! Es ist kalt.
die **Jeans** (Plur.)	Junge Leute tragen gern Jeans.
jeder, -e, -s	Wir spielen jeden Samstag Fußball.
jetzt	Jetzt habe ich keine Zeit.
der **Job**, -s	Der Job ist interessant.
jung	Er ist nicht alt. Er ist jung.
der **Junge**, -n	Markus ist ein Junge.
junge Leute (Plur.)	Hier kannst du junge Leute treffen.

K

der **Kaffee**	Meine Mutter trinkt gern Kaffee.
der **Kakao**	Ich trinke gern Kakao.
kalt	Huch, ist das Wasser kalt! / Ist dir kalt?
kaputt	Das Fahrrad ist kaputt, es fährt nicht.
die **Karte**, -n	Hier ist die Karte von Deutschland. / Hast du die Theaterkarten? / Was kostet eine Buskarte?
die **Kartoffel**, -n	Ich esse gern Kartoffeln.
die **Katze**, -n	Meine Katze heißt Susi.
kaufen	Ich habe 20 Euro. Ich kaufe eine CD.
kein, -e	Ich habe keine Zeit.
kennen	Kennst du den neuen Film schon? / Wer ist das? Ich kenne sie nicht.
kennen lernen	Ich kenne Ulrike nicht. Ich möchte sie kennen lernen.
das **Kind**, -er	Das Kind spielt mit dem Ball.
das **Kino**, -s	Wir gehen heute Abend ins Kino.
der **Kiosk**, -e	Am Kiosk gibt es z.B. Zeitschriften und Eis.
klar	Hilfst du mir? – Ja, klar!
die **Klasse**, -n	In welche Klasse gehst du?
die **Klassenarbeit** -en	Ich muss lernen, morgen schreiben wir eine Klassenarbeit.
das **Klavier**, -e	Ich spiele seit einem Jahr Klavier.
das **Kleid**, -er	Das Kleid ist schön.
klein	Julia ist noch klein, sie ist erst 3.
kochen	Mama kocht immer gut. Das Essen schmeckt mir sehr.
kommen	Am Samstag kommt ein toller Film im Fernsehen.
können	Kannst du noch andere Fremdsprachen? / Kannst du tanzen?
der **Kopf**, **Köpfe**	Ich habe Kopfschmerzen.
kosten	Die Briefmarken sind billig. Sie kosten nur 2 Euro.
krank	Peter geht es nicht gut, er ist krank.
das **Krankenhaus, Krankenhäuser**	Im Krankenhaus arbeiten viele Ärzte.
der **Krimi**, -s	Julian sieht gern Krimis im Fernsehen.
der **Kuchen**, -	Isst du gern Apfelkuchen?
die **Küche**, -n	Wir frühstücken in der Küche.

der **Kühlschrank, Kühlschränke**	Stell die Milch bitte in den Kühlschrank.	
der **Kugelschreiber**, -	Schreib mit Kugelschreiber, nicht mit Bleistift!	
der **Kurs**, -e	Wann ist der Deutschkurs?	
kurz	Der Rock ist kurz.	

L

lachen	Der Witz ist gut, alle lachen.	
die **Lampe**, -n	Wir brauchen eine neue Lampe.	
das **Land**, **Länder**	Im Sommer fahre ich aufs Land. / China ist ein großes Land.	
lang	Ihre Haare sind lang.	
lange	Ich telefoniere gern lange. / Bald sind Ferien. Das ist nicht mehr lange.	
langsam	Wie bitte? Sprich bitte langsam!	
langweilig	Die Schüler hören nicht zu. Der Unterricht ist langweilig.	
lassen	Lass mich in Ruhe!	
laufen	Wir fahren nicht mit dem Auto, wir laufen.	
leben	Enrico lebt schon zwei Jahre in Deutschland.	
leicht	Der Rucksack ist leicht, aber die Tasche ist schwer. / Die Matheaufgaben waren heute ganz leicht.	
das **Leid**, -en	Entschuldigung, tut mir Leid!	
leider	Ich muss jetzt gehen. Ich habe leider keine Zeit.	
lernen	Ich muss für die Schule lernen. / Claudia lernt Gitarre spielen.	
lesen	Ich lese gern Krimis.	
die **Leute** (Plur.)	Viele Leute fahren mit dem Zug.	
lieb	Meine Katze ist sehr lieb und süß.	
lieben	Ich liebe meine Familie.	
lieber	Ich gehe nicht gern zu Fuß. Ich fahre lieber mit dem Rad.	
Lieblings-	Was ist dein Lieblingsfach?	
links	Gehen Sie zuerst rechts, dann geradeaus und dann links.	
die **Lust**, **Lüste**	Kommst du mit ins Kino? – Ich habe keine Lust.	
lustig	Das Buch ist lustig, ich muss viel lachen.	

M

machen	Ich mache eine Party. / Das macht zusammen 6,20 €. / Das macht nichts.	
das **Mädchen**, -	Julia ist ein Mädchen.	
die **Mail**, -s	Bitte schreib mir eine Mail!	
das **Mal**, -e	Pass nächstes Mal besser auf!	
man	In den Ferien kann man lange schlafen.	

manchmal	Wilma ist nicht immer pünktlich, sie kommt manchmal zu spät.
der **Mann**, **Männer**	Papa ist der Mann von Mama.
der **Mantel**, **Mäntel**	Er trägt im Winter einen Mantel.
der **Markt**, **Märkte**	Sie kauft das Gemüse und das Obst immer auf dem Markt.
der **Marktplatz**, **Marktplätze**	Wir treffen uns auf dem Marktplatz.
die **Marmelade**, -n	Fabian isst gern Brot mit Marmelade.
mehr	Ich brauche mehr Geld. / Ich habe kein Geld mehr.
mein, -e	Mein Hund heißt Rex.
die **Milch**	Carla trinkt zum Frühstück ein Glas Milch.
das **Mineralwasser**, -	Ich trinke gern Mineralwasser.
mit	Sven geht mit Lydia ins Kino. / Till fährt mit dem Fahrrad zur Schule.
mitbringen	Theresa bringt eine Freundin mit. / Tante Rosi bringt immer etwas mit.
mitkommen	Komm mit ins Kino!
mitmachen	Wir spielen Volleyball, willst du mitmachen?
mitnehmen	Was müssen wir auf den Ausflug mitnehmen?
mögen	Ich mag Pizza.
möglich	Es geht nicht. Es ist nicht möglich.
morgen	Morgen fangen die Ferien an.
müde	Ich möchte gern schlafen. Ich bin müde.
die **Musik**, -en	Welche Musik hörst du gern?
müssen	Ich muss zu Hause helfen.

N

nach	Fährt der Zug nach Hamburg?
nächster, nächste, nächstes	Du bist dran, du bist der Nächste. / Nächste Woche mache ich eine Party.
der **Name**, -n	Wie ist dein Name? – Mein Name ist Karin.
nehmen	Das T-Shirt ist gut, das nehme ich.
nein	Haben wir jetzt Englisch? – Nein, Mathe.
nett	Ich finde den Biolehrer sehr nett.
neu	Das Auto ist nicht alt. Es ist neu.
nicht	Falsch, das ist nicht richtig.
nichts	Ich habe zu nichts Lust. / Das macht nichts.
nie	Lisa geht nie vor 10 ins Bett.
niemand	Da ist niemand mehr, alle sind weg.
noch	Wie? Sag das bitte noch einmal!
normal	Es ist nicht zu groß und nicht zu klein. Es ist ganz normal.
die **Note**, -n	Für den Test bekommt ihr Noten.
die **Nummer**, -n	Wie ist deine Telefonnummer / Hausnummer?
nur	Das ist billig, das kostet nur 1€.

O		
das **Obst**	Obst hat viele Vitamine.	
oder	Möchtest du Milch oder Saft?	
offen	Das Fenster ist offen.	
oft	Mariza ist meine beste Freundin, ich rufe sie oft an.	
ohne	Ferien ohne meine Freunde sind langweilig.	
der **Ohrring**, -e	Sie trägt jeden Tag andere Ohrringe.	
die **Ordnung**	Das ist in Ordnung, alles klar. / Wie sieht es denn hier aus? Macht sofort Ordnung!	
P		
das **Paket**, -e	Ich bringe das Paket zur Post.	
der **Park**, -s	Sie gehen im Park spazieren.	
passieren	Sag schon, was ist passiert?	
die **Pause**, -n	Ich kann nicht mehr, ich brauche eine Pause.	
das **Pferd**, -e	Pferde sind schöne Tiere.	
die **Pizza**, -s	Mein Lieblingsessen ist Pizza.	
der **Platz**, **Plätze**	Ist der Platz noch frei? / Im Kühlschrank ist kein Platz.	
die **Post**	Bring bitte den Brief zur Post.	
das **Poster**, -	Im Zimmer hängt ein Poster von meiner Lieblingsband.	
die **Postkarte**, -n	Schreib mir eine Postkarte aus den Ferien.	
das **Problem**, -e	Warum bist du so traurig, hast du Probleme?	
der **Pullover**, -	Es ist kalt. Nimm den Pullover mit!	
pünktlich	Der Unterricht beginnt pünktlich um 8 Uhr.	
Q		
der **Quark**	Isst du gern Quark?	
der **Quatsch**	Der Clown macht Quatsch.	
das **Quiz**, -	Am Nachmittag kommt ein Quiz im Fernsehen.	
R		
das **Rad**, **Räder** (siehe Fahrrad)	Wir fahren mit dem Rad ins Schwimmbad.	
der **Radiergummi**, -s	Falsch, ich brauche einen Radiergummi.	
das **Radio**, -s	Ich mag Musik, ich höre gern Radio.	
raten	Ich weiß es nicht, ich muss raten.	
das **Rätsel**, -	Ein Rätsel ist ein Ratespiel. Kannst du das Rätsel lösen?	
Recht haben	Stimmt, du hast Recht.	
rechts	Rechts geht es zum Sportplatz.	
regnen	Wir können nicht spazieren gehen. Es regnet.	
der **Regen**	Bei Regen machen wir keinen Ausflug.	
die **Reise**, -n	Er macht eine Reise ins Ausland.	

reiten	Kannst du auf einem Pferd reiten?	
reparieren	Der Fernseher ist kaputt, man muss ihn reparieren.	
richtig	Welches Wort ist richtig? Kreuze an.	
der **Ring**, -e	Ich kaufe Petra einen Ring zum Geburtstag.	
der **Rucksack**, **Rucksäcke**	Ich habe einen Rucksack für die Schulsachen.	
ruhig	Stopp, seid mal bitte ruhig!	

S

die **Sache**, -n	Im Geschäft gibt es viele Sachen.	
der **Saft**, **Säfte**	Ich möchte Orangensaft und kein Wasser trinken.	
sagen	Was? Sag das bitte noch einmal!	
der **Salat**, -e	Im Salat sind Tomaten.	
sammeln	Sammelst du Telefonkarten?	
schade	Du kannst nicht mitkommen? Das ist aber schade!	
schenken	Ich schenke Florian ein Comic-Heft zum Geburtstag.	
das **Schiff**, -e	Wir fahren mit dem Schiff auf die Insel.	
schlafen	Mein Opa schläft nachmittags eine halbe Stunde.	
schlecht	Mir geht es nicht gut, mir ist so schlecht. / Vielleicht war das Essen schlecht.	
schmecken	Das Essen schmeckt prima.	
der **Schmerz**, -en	Tut dir was weh, hast du Schmerzen?	
schnell	Wir warten. Mach schnell!	
die **Schokolade**, -n	Möchtest du ein Stück Schokolade oder lieber Kuchen?	
schon	Der Film beginnt erst in 10 Minuten, aber wir sind schon da. / Es ist nicht weit, da sind wir schon.	
schön	Das sieht gut aus. Das ist schön.	
schreiben	Schreibt die Aufgabe ins Heft!	
der **Schüler**, - die **Schülerin**, -nen	In der Klasse sind 17 Schüler und Schülerinnen.	
schwer	Die Schultasche ist schwer. / Der Test war schwer.	
das **Schwimmbad**, **Schwimmbäder**	Am Nachmittag gehe ich ins Schwimmbad.	
schwimmen	Schwimmst du gern?	
der **See**, -n	Wir machen einen Ausflug an den See. / Das Schiff fährt auf dem See.	
sehen	Ich sehe meine Freunde jeden Tag in der Schule.	
sehr	Das ist meine Katze, ich liebe sie sehr. / Sehr gut, das ist super!	
sein	Bist du heute Nachmittag zu Hause? / Meine Mutter ist Sekretärin.	
auf sein	Die Tür ist auf. Mach sie bitte zu!	

zu sein	Es ist so warm hier. Ach ja, das Fenster ist zu.	
sein, -e	Sein Pullover, seine Hose und sein T-Shirt sind hier. Aber wo sind seine Sportschuhe?	
sicher	Weißt du das genau? Bist du ganz sicher?	
sie	Meine Freundin heißt Lee, sie kommt aus China.	
Sie	Wie heißen Sie? Wie geht es Ihnen?	
so	Ich mache das immer so. / Der Film war so langweilig. / Mein Freund ist so alt wie ich.	
sofort	Nein, nicht morgen, mach das bitte sofort!	
der **Spaß**, **Späße**	Super, das hat Spaß gemacht. / Viel Spaß!	
spät	Es ist schon spät, ich gehe schlafen. / Du bist schon wieder zu spät, sei doch bitte pünktlich. / Hast du eine Uhr, wie spät ist es?	
später	Jetzt machen wir Hausaufgaben, aber später haben wir Zeit. / Frank kommt heute erst um 8 Uhr. Er hat heute später Unterricht.	
spazieren gehen	Ich muss raus, gehen wir spazieren? / Am Sonntag geht die ganze Familie spazieren.	
spielen	Wir spielen Basketball. Spielst du mit?	
das **Spiel**, -e	Das Spiel ist interessant und macht Spaß.	
der **Spielplatz**, **Spielplätze**	Die Kinder spielen auf dem Spielplatz.	
der **Sport**	Machst du Sport? – Ja, ich spiele Fußball.	
die **Sprache**, -n	In der Schweiz spricht man vier Sprachen.	
sprechen	Ich spreche Deutsch, Englisch und Französisch.	
die **Stadt**, **Städte**	Berlin ist die Hauptstadt von Deutschland.	
der **Strand**, **Strände**	Wir gehen am Strand spazieren.	
die **Straße**, -n	In welcher Straße wohnst du?	
das **Stück**, -e	Sylvia isst ein Stück Kuchen.	
die **Stunde**, -n	Wir treffen uns in einer Stunde am Kino. / Florian hat jeden Tag 6 Stunden Schule.	
suchen	Ich suche meinen Kuli, ich kann ihn nicht finden.	
der **Supermarkt**, **Supermärkte**	Der Supermarkt ist offen, du kannst einkaufen.	
die **Suppe**, -n	Ich esse gern Suppe.	
süß	Die Torte ist zu süß. / Die Hundebabys sind wirklich süß.	

sympathisch	Du hast Glück, deine Eltern sind ganz sympathisch.	

T

tanzen	Tanzt du gern auf Partys?	
die **Tasche**, -n	Ich muss viel mitnehmen. Wo ist meine Tasche?	
die **Tasse**, -n	Ich trinke eine Tasse Kakao.	
der **Tee**, -s	Möchten Sie Tee oder Kaffee?	
telefonieren	Ich telefoniere oft mit meiner Freundin.	
Tennis spielen	Ich mache Sport. Ich spiele Tennis.	
teuer	Das kaufe ich nicht, das ist zu teuer.	
das **Theater**, -	Ich gehe gern ins Kino und ins Theater.	
das **Tier**, -e	Hast du ein Haustier, einen Hund oder eine Katze?	
der **Tisch**, -e	Das Essen steht auf dem Tisch.	
die **Toilette**, -n	Wo ist die Toilette? / Die Toilette ist im Badezimmer.	
toll	Die neue Hose ist toll, die sieht gut aus.	
tragen	Die Tasche ist schwer, hilfst du bitte tragen? / Es ist kalt, sie trägt einen Mantel.	
traurig	Eine schlechte Note macht mich traurig.	
treffen	Er trifft sie jeden Morgen an der Haltestelle.	
trinken	Trinkst du gern Wasser?	
tschüs, **tschüss**	Tschüs, bis bald!	
die **Tür**, -en	Mach bitte die Tür zu!	

U

die **U-Bahn**, -en	Fährt die U-Bahn zum Flughafen?	
üben	Ich muss jeden Tag Klavier üben.	
über	Das Flugzeug fliegt über das Meer. / Wir gehen über die Straße.	
überall	In der Stadt gibt es überall Geschäfte.	
die **Übung**, -en	Schreibt die Übung bitte ins Heft!	
die **Uhr**, -en	Hast du eine Uhr? / Wie viel Uhr ist es?	
um	Wir treffen uns um 6 Uhr am Bahnhof.	
und	Evi und Jaron kommen auch.	
und so weiter (u.s.w.)	Im Kaufhaus gibt es z.B. T-Shirts, Hosen, Pullover u.s.w.	
unser, -e	Hier sind unsere Eltern, da ist unsere Katze und hier unser Hund.	
der **Unterricht**	Der Unterricht dauert 45 Minuten.	

V

vergessen	Vergiss das Treffen nicht und komm pünktlich!	

verrückt	Bist du verrückt, das geht nicht! / Er hat so verrückte Ideen.
verstehen	Verstehst du das, alles klar?
das **Video**, -s	Wir sehen in Bio ein Video.
viel, -e	In den Ferien habe ich viel Zeit. / Hast du viele Freunde?
vielleicht	Ich weiß noch nicht, vielleicht gehe ich ins Kino. / Hast du vielleicht Zeit?
von	Der MP3-Player ist ein Geschenk von meinen Eltern. / Von 3 bis 5 habe ich Zeit. / Wie kommst du von der Schule nach Hause?
vor	Wir treffen uns vor der Schule. / Vor dem Frühstück dusche ich.
der **Vorname**, -n	Mein Vorname ist Karin.

W

wahr	Stimmt, das ist wahr. / Der Mathelehrer ist doof, nicht wahr?
der **Wald**, **Wälder**	In Deutschland gibt es viele Wälder. / Im Wald leben viele Tiere.
der **Walkman**, -s	Kannst du mir Batterien für meinen Walkman geben? / Ich möchte Musik hören. Kann ich deinen Walkman haben?
wandern	Meine Eltern wandern gern in den Bergen.
wann	Wann treffen wir uns? – Um 9 Uhr.
warm	Im Sommer ist es warm.
warten	Wann kommt der Bus. Ich warte schon lange.
warum	Warum kommst du nicht mit?
was	Was gibt es am Kiosk?
waschen	Du musst die Äpfel waschen.
das **Wasser**, -	Alle brauchen Wasser.
wecken	Weck mich bitte nicht, ich will lange schlafen.
wehtun	Tut dir etwas weh, hast du Schmerzen?
Weihnachten	Weihnachten ist immer am 25. Dezember. / Frohe Weihnachten!
weit	Wie weit ist es bis zum Bahnhof?
welcher, **welche**, **welches**	Welcher Zug fährt nach München? / Welche CD möchtest du? / Welches Tier ist das? / Welche Bücher liest du?
wenig	Warum isst du so wenig? Nimm noch etwas! / Ich habe wenig Zeit.
wer	Wer ist das? Ich kenne den Mann/die Frau nicht.
werden	Was willst du später mal werden? / Elefanten werden alt. Sie können 100 Jahre alt werden.
wichtig	Das ist wichtig. Passt auf!

wie	Wie geht das? / Wie alt bist du? / Mein Freund ist so alt wie ich. / Das ist wie im Kino!
wieder	In Erdkunde brauchen wir morgen wieder den Atlas.
wiederholen	Sag das noch einmal! Wiederhol das bitte!
das **Wiedersehen**	Auf Wiedersehen! Tschüs!
wie viel	Wie viel kostet das?
willkommen	Herzlich willkommen!
wir	Wir sind die besten Freunde.
wirklich	Das Buch ist wirklich gut, du musst es lesen.
wissen	Ich weiß es nicht.
wo	Wo ist mein Ball?
woher	Woher kommst du?
wohin	Wohin fährt der Zug?
wohnen	Ich wohne in der Steingasse.
die **Wohnung**, -en	Unsere Wohnung hat vier Zimmer.
das **Wohnzimmer**, -	Der Fernseher ist im Wohnzimmer.
wollen	Was willst du?
das **Wort**, **Wörter**	Wie viele Wörter hat dein Brief?
wunderbar	Hm, das Essen schmeckt wunderbar.
wünschen	Was wünscht du dir zum Geburtstag? / Ich wünsche dir alles Gute.
die **Wurst**, **Würste**	In der Pause esse ich ein Wurstbrot.

Z

der **Zahn**, **Zähne**	Ich habe Zahnschmerzen.
zeigen	Zeig mal, was hast du da?
die **Zeit**, -en	Ich habe keine Zeit.
die **Zeitung**, -en	Am Sonntag lesen meine Eltern die Zeitung.
das **Zeugnis**, -se	In der Schule gibt es bald Zeugnisse.
ziemlich	Ich fahre mit dem Rad, denn mein Freund wohnt ziemlich weit weg.
das **Zimmer**, -	Hast du ein eigenes Zimmer?
zu	Die Hose ist zu groß. / Ich gehe zu Martin. / Herzlichen Glückwunsch zum Geburtstag!
zuerst	Ich mache zuerst Mathe und dann Englisch.
der **Zug**, **Züge**	Wir nehmen den Zug und nicht das Auto.
zum Beispiel	Liest du gern, z.B. Bücher oder Zeitschriften?
zumachen	Mach bitte die Tür zu!
zusammen	Wir gehen zusammen ins Kino.
zu sein	Die Bibliothek ist in den Ferien zu.

In das Übungs- und Testbuch wurden dort, wo es das Thema erforderte, folgende, über die Niveaustufe A1 hinausgehende Wörter aufgenommen.

zusätzliche internationale Wörter

anmachen	Mach das Radio an, da kommt tolle Musik!	
im Internet surfen	Surfst du gern im Internet?	
liegen	Theresa ist krank und liegt im Bett.	
schicken	Ich schicke dir eine Postkarte aus den Ferien.	
sich etw. ansehen	In Nymphenburg können wir uns das Schloss ansehen.	
sollen	Der Lehrer sagt, wir sollen aufpassen.	
die **Freizeit**	In meiner Freizeit mache ich viele Hobbys.	
der/die **Jugendliche**, -n	Jugendliche sind junge Leute.	
das **Jugendzentrum**, **Jugendzentren**	Im Jugendzentrum können sich junge Leute treffen.	
das **Meer**, -e	Andrea schwimmt gern im Meer.	
das **Möbel** (meist Plur.)	Im Möbelgeschäft gibt es z.B. Tische und Betten.